LA FEMME DU PEINTRE

Du même auteur

Eaux, recueil de nouvelles, Le Serpent à Plumes, 1999.

Monique Durand

LA FEMME DU PEINTRE

Roman

LE SERPENT A PLUMES

Illustration de couverture : René Marcil,
Mme Marcil, de retour à New York, petit déjeuner à l'œuf à la coque,
New York, 1951 © D. R.

© 2003 Le Serpent à Plumes

N° ISBN : 2-84261-401-1

LE SERPENT A PLUMES

20, rue des Petits-Champs – 75002 Paris
http://www.serpentaplumes.com

À Madeleine Gagnon

À Catherine treize ans, François douze ans,
Jean-Philippe quatre ans, Marie-Ève deux ans,
Charlotte onze ans

À la mémoire de Evelyn Rowat Marcil,
dont certains pans de la vie singulière
ont inspiré la fiction qui suit

Novembre de l'année 1993. Crématorium de Toronto. Evelyn, flanquée de son ami Nicolas, est debout devant le corps de René recouvert d'un drap blanc. Elle touche le corps : « Il est froid. » Nicolas, ému, dépose sur la dépouille un bouquet de fleurs dont il a oublié de retirer l'emballage de cellophane transparent. « Non, non, non ! », fait Evelyn, elle a presque crié, « il faut enlever le papier ! » Nicolas s'exécute, nerveux et maladroit, le revêtement de cellophane lui résiste, la dépouille a déjà amorcé son chemin vers le feu et la cendre.

Comment puis-je être en train de penser, en ce moment même, à ce soir où je vous emmenai dîner au *Paradis* pour les pommes frites que vous affectionniez tant et qu'à une intersection, me trompant de voie, votre visage, Evelyn, en une seconde passa d'ange à démon ? J'en restai sonnée pendant de longs instants, abasourdie par la dureté, découvrant cette part de tyran en vous qui trépigniez sur le siège avant. « Non, non, non, pas là ! » Après l'incident, les frites du *Paradis* m'apparurent chiches scories graisseuses chues de quelque tourment enfoui.

Les mains de Nicolas tremblent. Le papier s'obstine. Evelyn est devenue furibonde. Plus elle s'exaspère, plus il est malhabile.

Dans la folie du moment, c'est fou Evelyn, j'entends monter une musique. Des applaudissements. Ceux de la foule qui assiste au récital historique de Vladimir Horowitz à Moscou. Retrouvailles du pianiste avec sa Russie natale et, en même temps, adieux. C'est le 20 avril 1986. Il vient de terminer *Rêverie*, tirée des *Scènes d'enfants* de Schumann. Les spectateurs sont debout. Ils pleurent. Ils geignent. Même les responsables soviétiques, en rangs serrés sur le parterre et aux balcons, forêt de cravates au garde-à-vous et de galons en chevron, même ces pantins patibulaires ne résistent pas à l'interprétation sublime du vieillard. Leurs larmes brillent sous les réflecteurs, et tombent comme une première neige follette sur l'automne. La grisaille de la nomenklatura et du peuple des kolkhozes vient de toucher la couronne du soleil.

Dehors, serrées sous leurs parapluies, des centaines de personnes sont massées devant le Conservatoire. Pas une note de musique ne les atteint, mais ils entendent tout. Deux cents étudiants ont réussi à franchir les cordons de sécurité et se sont rués dans les allées de la salle de concert. Pendant la première sonate de Scarlatti, la police essaiera de les en déloger. En vain.

Horowitz, lui, au bout de ses quatre-vingts ans et de tout cet exil, envoie des baisers avec ses vieilles mains de génie. Ses vieilles mains si souples qu'elles se renversent, comme des yeux qui se révulseraient, phalanges extensibles, rétractables, contorsionnées. Un moment, Horowitz, soulevé de terre par les cris du public, s'accroche à son piano pour ne pas s'envoler.

La foule est sans mot, pétrifiée, ensorcelée, elle est seulement un cri. Électrochoc. Grâce. Horowitz salue l'auditoire en délire, étranglé d'émotion. Il a l'air de dire qu'il ne reviendra plus, trop vieux et trop usé par l'absence et les faux espoirs. Les spectateurs protestent.

C'est du désir qui monte, Evelyn, rien d'autre. Sinon, comment qualifier cette transe d'amour et d'adieux ? De la salle surgissent des roses, des centaines de roses. C'est du désir qui s'envole vers le toit du ciel, du désir des hommes et des femmes confondus. D'ailleurs il n'y a plus d'hommes et de femmes dans cette salle, que de l'humaine condition de chairs et d'espoirs emmaillés.

Comment pourront-ils vivre après, le savez-vous, Evelyn ? Comment pourront-ils redescendre sur notre terre morne et sans fièvre ? Et lui, le génie aux mains révulsées, comment fera-t-il ?

Au milieu des applaudissements et des pleurs, le corps de René Marcil disparaît, emporté par le convoyeur funéraire.

Suit, dans le sillage du corps, un bouquet de fleurs éventré. Dont le revêtement de papier cellophane pend sous la tête du mort.

PREMIÈRE PARTIE

LA SÈCHE LIBERTÉ

Les Années d'apprentissage

1

Se peut-il que l'on se transmette la dureté d'une génération à l'autre, dans un obscur ouvrage de répétition, corps et cœur pourtant défendants ? Et que la dureté d'Evelyn soit en réalité celle de sa mère, et avant elle, de sa grand-mère, laissée en jachère, dont le vent de l'atavisme a parsemé les graines dans l'âge ?

Année 1935. C'est dans l'austère cuisine de la maison de Sandwich, incolore excroissance de la ville de Windsor en Ontario, qu'Evelyn essuiera la dernière raclée de sa vie. À propos d'un mot, un simple mot : « respect ». Croyant être engagée dans un rare échange avec Noemi, l'adolescente avance l'idée que ce vocable recouvre plus grand que la seule notion de politesse. Noemi entre alors dans une ire déferlante. Sa peau laiteuse s'empourpre. Ses joues deviennent deux énormes taches de vin sous l'orbite des yeux plissés de colère. Elle empoigne le ceinturon de cuir, qu'elle garde toujours plus ou moins à portée de la main, et frappe jusqu'au sang les mollets d'Evelyn. Ce jour-là, les coups sifflent, marque des grands combats, jusqu'aux cuisses.

Un coup. Deux de carreau. Trois coups. Quatre de trèfle. Cinq coups. Six coups. Valet de pique. « Soulève ta jupe !… *Hurry up* ! » Dame de cœur. « Et tiens que j't'apprenne !… » Joker.

Puis fixant tout à coup son bracelet-montre, Noemi s'éclipse prestement. À temps pour sa partie de bridge avec Elizabeth et les sœurs Delaney.

Cette fois-là fut la dernière. Evelyn conçut dès lors pour sa mère une sorte d'indifférence méprisante qu'elle prendra des années à raffiner, comme une œuvre de jeunesse sans cesse reprise, retravaillée, polie sous l'éclat sombre du volontarisme. Concoction savamment dosée de hauteur sauvage et de souci de se protéger. Huile essentielle, exsudée à froid de son être, qui à la longue, croyait-elle, finirait par la sauver.

Comme d'autres, devant l'invivable, choisissent la légèreté dénégatoire, elle, Evelyn Rowat, serait une coriace.

2

Année 1936. La carrière de Paul entraîne la famille Rowat à Town of Mount Royal, appendice huppé de Montréal, ville cossue et peuplée d'Anglo-Saxons. Evelyn en est au quatrième déménagement de sa courte vie, avec tous les déracinements dont un jeune cœur, assoiffé de constance, peut pâtir.

Noemi, elle, arrive aisément et presque instantanément à retisser des liens, à réinventer sa vie sociale, comme l'araignée s'en va refaire sa toile de lieu en lieu et parvient à fileter un réseau neuf de pinces, d'étaus et de tenailles. Les visages autour de Noemi changent, à peine les décors des clubs de tennis et des sous-sols d'églises baptistes, et pas du tout la couleur des cartes à jouer. Toronto, Montréal, Sandwich, Town of Mount Royal, même combat futile : as de pique contre valet de carreau.

Noemi offre le thé tous les soirs à des invités aussi impénétrables qu'elle. Un thé, deux levées gagnantes, trois petits tours et puis s'en vont. Ensuite elle monte à sa chambre, dans une immaculée pâleur comme le collet monté qui grimpe sur les racines de son cou.

Evelyn entend, invariablement chaque soir, les pas mesurés de sa mère qui volettent dans ses jupes froides comme les nuits qu'elle passe avec son époux. Froides et sèches. Nuits et jours de convenance, comme l'avait été leur mariage.

Plus petite, Evelyn attendait. Combien de jours, de nuits, d'années a-t-elle attendu le début d'une caresse ? Se remémorer la joue bouillante, la poitrine tressaillante d'un être, sur soi, sa mère. Marcher dans la vie avec cette certitude-là. Un lac, un matin, un miroir. Elle attendait, la petite Evelyn, lissant sa blondeur chevelue dans l'anticipation d'un blond baiser de Noemi. Qui ne vint jamais.

Soir après soir, les pas continuaient leur route vers la chambre conjugale. Au même rythme sourd avec lequel se distribuaient les cartes à jouer. À demain, Noemi, *my hatred love*.

3

Automne de l'année 1937. Jour de parade dans les rues de Town of Mount Royal, ghetto de verdure, de propreté et de calme.

Engoncée dans sa robe noire à larges pans et dans son acharnement à vouloir sortir de sa condition, elle autrefois maîtresse d'une école de rang à Bedford, dans les Eastern Townships, Noemi est en tête du peloton de ces dames pavoisantes.

Elle a le corps raide et droit comme le fanion qu'elle porte à quarante-cinq degrés devant elle, aux couleurs de l'Imperial Order of the Daughters of the Empire. Les femmes, toutes pareillement caparaçonnées, ouvrent la marche, suivies de la fanfare de TMR qui entonne bientôt *Scotland the Beautiful*. Le défilé passe devant McKenna Florist, avant de bifurquer vers le boulevard Rockland.

Surtout ne pas s'approcher trop des limites de la ville de Montréal, la ville des Canadiens-Français, des manufactures et de la *porter* « tablette ».

Noemi cambre le dos pour paraître plus nette et incontestable, et prendre de plus haut l'ensemble des choses et de la vie et, en particulier, tout ce qui bouge et parle français de l'autre côté de la rue Jean-Talon.

Car chez les Rowat, on ne veut pas entendre parler la langue des *Frenchies*, ce petit peuple de boîtes à lunch et de tavernes, labourant en tramway les entrailles de Montréal comme, autrefois, leurs terres incultes de Dunham ou de St-Jean-de-Matha où les fils épileptiques poussaient comme les patates.

Non. Noemi était plus grande, plus cultivée, plus forte. Et, peu importe si ses deux lignées d'ascendants avaient combattu aux côtés de la Révolution américaine contre l'Angleterre, son fanion des *Daughters of the Empire* lui voilerait à jamais la face ouverte de la terre poissarde au-delà des limites de Town of Mount Royal. Son collet empesé la préserverait pour toujours de la petitesse et des destins avortés.

Le défilé s'éloigne, tandis que retentit la fin de *Scotland the Beautiful*.

4

Des petites lunettes cerclées argent, avec une tête à mi-chemin entre Marcel Proust et Pierre Curie, voilà comment Paul Rowat apparaît sur sa photo de finissant en biochimie de McGill University en 1919. *Suma cum laudae.* Il avait vingt ans. Ainsi, c'est avec cet ange aux traits fins, d'où l'humain, la simple humanité, déborde comme parfois de certains êtres, que vit l'ogresse.

Paul avait la bonté même inscrite au fond des yeux. Et la patience. Quand l'ogresse le laissait souffler un moment. Il s'amusait des heures durant avec les petites, Evelyn et Helen, leur inventant mille féeries, assis par terre au milieu du salon.

Il brillait à ces jeux doux, chaque fois redevenu un homme libre, d'une liberté qu'il ne connaissait autrement qu'au cœur de son laboratoire, entre fioles, tubes et flacons. Délivré de la régente cacardeuse aux pieds de laquelle, il y a longtemps déjà, il avait déposé les armes et jeté l'éponge, écrasé par l'hercule de foire et de salons.

Bien sûr, il n'était pas sans savoir que Noemi avait la main leste avec le ceinturon de cuir. Evelyn s'en était plaint, un soir pendant la vaisselle, lui exhibant un mollet rougi et lacéré. La voix de son père était devenue blanche. Il ne lui avait fourni, pour tout accusé de réception, qu'un « Ta mère est fatiguée » sans conviction. Ses épaules s'étaient rétrécies d'un cran, comme s'affaissant de misère et de honte. Ou se ratatinant pour parer aux coups.

Evelyn, elle, avait trouvé son père simplement mollasson.

5

Quand les filles eurent mûri un peu, Paul se mit à leur réciter des vers de William Butler Yeats qu'il venait de découvrir, fasciné.

The trees are in their autumn beauty,
The woodland paths are dry,
Under the October twilight the water
Mirrors a still sky ;
Upon the brimming water among the stones
Are nine-and-fifty swans.

Toujours le même poème, *The wild swans at Coole*. Et les mêmes vers, déclamés d'une voix un tantinet emphatique dans laquelle ses deux petites adorées s'étendaient mollement. Seule mollesse permise dans le cours des jours enrégimentés par Noemi. Seule rondeur allouée au monde anguleux qui sévissait rue Dobie, à Town of Mount Royal. Paul scandait les pieds et les rimes.

I have looked upon those brilliant creatures,
And now my heart is sore.
All's changed since I, hearing at twilight,
The first time on this shore,
The bell-beat of their wings above my head,
Trod with a lighter tread.

Et tandis que Madame se vêtait pour recevoir sa compagnie, dans l'anticipation de l'une de ces soirées fastes et farcies de « belles mains » où elle abattrait une partie parfaite comme d'autres leurs adversaires au plancher, Paul lavait les assiettes et les couverts du dîner. Evelyn et Helen essoraient distraitement, l'air de ne pas le faire.

But now they drift on the still water,
Mysterious, beautiful ;
Among what rushes will they build,
By what lake's edge or pool
Delight men's eyes when I awake some day
To find they have flown away ? [1]

Il leur posait souvent la même devinette : « Quelle est la différence entre un Polonais, un Italien, un Anglais et un Irlandais qui regardent à la fenêtre ? » Evelyn poussait un soupir excédé. C'est le moment qu'invariablement choisissait Helen pour disparaître au salon jouer quelques airs à la mode au piano, avant que les invités ne se pointent à la porte. « Eh bien, le Polonais, l'Italien et l'Anglais, dans le ciel tout gris, voient la petite trouée de bleu qui soufflera le gris. L'Irlandais, lui, dans le ciel tout bleu, voit le petit nuage gris qui balaiera l'immensité bleue. »

Et puis, pour lui tout seul, il chantonnait une vieille ballade dont il n'avait jamais su que la fin du refrain : « *And the stony hearted jailor was my wife.* »

6

Vingt heures précises. Les joueurs de bridge arrivent. Noemi descend de sa niche, crêpée, pomponnée, Sissi de roture, chienne savante portant parfums et lorgnon. Après des salutations pincées où les femmes s'embrassent comme des nonnes tandis que Paul leur retire mantille et manchon, les cartes sont distribuées dans un silence mat que seul trouble le tic-tac de l'horloge. Une horloge qui vient du père de Noemi, parti mystérieusement un jour du début du siècle pour San Francisco, jamais revu depuis. Joseph, évanoui dans les brouillards de la côte Pacifique et de la fantasmagorie familiale. Noemi avait sept ans.

La fin de la permission vient de sonner. Les filles montent à l'étage. Paul recouvre sa posture de paternel patriarche démissionnaire. Lui qui, toujours, détesta allègrement les cartes, le voilà qui évalue sa main d'un air faussement pénétré, « Trèfle atout ! », avec une seule pensée vissée au cervelet : qu'arrivent vingt-deux heures trente, qu'advienne la délivrance, pour qu'il puisse à son tour monter à la chambre.

Et pendant que Noemi se décorsèterait dans la pénombre, passant de caniche pommadé à *mater dolorosa* à longue traîne blanche, effeuillement de peaux et de linges fins qui lui soulèverait le cœur, Paul prierait pour qu'elle meure. Mais les dieux qu'il invoquerait, trop semblables à lui-même, se riraient encore une fois de sa veulerie. Ses dieux mous resteraient de marbre.

Certaines nuits, quand la chambre de l'une des enfants restait allumée à l'étage, le plus souvent celle d'Evelyn, il se rappelait sa propre chambre sous les lucarnes de la grande maison d'Athelstan. Quand la vie s'offrait encore à boire et à manger. Alors, l'odeur des libertés anciennes lui desserrait la gorge un moment. Il s'endormait, une sorte de sourire au visage.

7

Un après-midi, c'était le printemps et la lumière dessinait de larges rectangles cuivre et or sur le tapis du salon, Evelyn surprit sa mère debout au milieu de la pièce, statue de Loth traversée de rayons de poussières luminescentes. Dans une sorte d'état second, elle écoutait Mozart, front offert au large, Déméter à la chair vermeil. Evelyn en était sûre : c'était Mozart, parce que la musique qu'elle entendait faisait gonfler les eaux des yeux et des mers du monde. Pour la première fois, Evelyn découvrit un visage d'où s'était envolées en même temps que les notes de piano toutes traces de sécheresse. Un visage où était venue s'installer une verdoyance humide et claire qu'elle aurait pu laper. Comme si un alizé était passé sur la marâtre, lui abandonnant une moue jaspée de lèvres tendres.

Sa mère n'était plus nez, Cyrano sec et guindé, mais lèvres, toutes lèvres, délicates lèvres qui faisaient comme une vague de tirant d'eau de chaque côté du menton. La grâce avait consenti à s'arrêter là un moment, peut-être deux, et le barrage avait cédé, libérant des torrents de tendre contenus derrière le masque, peut-être depuis toujours. Par la grâce de Mozart, ce visage habituellement perclus de hautain et de fat était rendu à l'humain.

Plus de désert qui ne tint devant cette montée de jardin. C'était Salieri, confit de jalousie et de misère, fondant à l'écoute de Mozart, Salieri au visage décomposé, transfiguré par le génie de celui qu'il honnissait entre tous, ce Mozart qui le mettait à genoux, faisant de lui ce qu'il voulait comme un vieux chiffon au vent. C'était le dieu même de la musique qui venait l'achever dans une estocade de sublime.

Ce visage qu'à la dérobée Evelyn put épier cet après-midi-là, elle ne le revit jamais plus après.

Elle détala avant que sa mère, se sentant observée, ne l'aperçoive dans l'embrasure ouverte par la lumière de la demi-saison.

8

La jeune femme Evelyn, un peu trop grande et charnue, avec ses cheveux rouges et raides et les taches de rousseur qui sont sa honte, sourit aux anges dans la fenêtre du train qui descend de Town of Mount Royal au centre-ville de Montréal. Passée en un éclair de sa prison banlieusarde au tohu-bohu du Mile End, « la vraie vie » pense-t-elle, juste le temps qu'il faut aux rails pour gober le pourtour du Mont Royal, vieux volcan éteint, paraît-il, que souvent elle voit se réveiller dans son hublot. Le Mont Royal pousse un gigantesque torrent de lave droit sur TMR. Chaque fois prise d'un fou rire, elle imagine sa mère pour l'éternité pétrifiée en train de s'abattre sur une levée gagnante, autour de la table à cartes muée en une petite Pompéi de bluff et de chimère.

Ce qu'elle préfère par-dessus tout, ce sont les trains vides, parce qu'ils lui laissent plus d'espace pour rêvasser. Incrustée dans la banquette du wagon, la dernière banquette du dernier wagon, comme en une serre chaude dont les parois lui font un justaucorps, elle a parfois des moments d'éblouissement, de purs moments de présence. Bienheureuse d'insouciance, son corps accordé avec son âme, elle avance recroque-villée sur sa joie, une joie qui lui vient elle ne sait d'où.

Les yeux braqués sur les pentes du Mont Royal, elle commence à discerner les lacets de sa vie qui montent dans la fenêtre du train. Des lacets au tracé flou ressemblant à son désir, encore informulé, de ne pas devenir comme tout le monde.

Elle s'en va chez le vieux professeur Heimlich, le Hongrois, qui donne deux classes de dessin par semaine, le soir. Un original qui lui racontera son enfance dévorée par les pogroms et la Grande Guerre, ses années de Beaux-Arts à Paris, puis son arrivée au Canada par le port de Halifax quinze années plus tôt.

Aux attelles de sa jeune existence et de sa sèche liberté, Evelyn descend vers le chevalet et les couleurs de monsieur Heimlich qui a son atelier angle Notre-Dame et Guy.

Chez elle, on ne lui pose pas de questions sur ses allées et venues, jamais de questions. Du moment qu'elle est rentrée à vingt-deux heures. Jamais de « Ça va ? », jamais de « Et puis ? ». Deux ou trois règles à observer tout au plus : le couvre-feu de vingt-deux heures, la discipline taiseuse, le respect.

Un jour monsieur Heimlich l'emmènera voir les quatre tableaux de peintres impressionnistes, ou du moins prétendus tels, qu'abrite le Musée des Beaux-

Arts de la rue Sherbrooke. Et les Rembrandt de la collection Van Horne… les faux Rembrandt. Il lui montrera comment détecter le faux du vrai. Evelyn en tirera des leçons pour sa vie. Démêler en elle l'artifice et la substance, le poseur et l'authentique. Distinguer la marge du centre. Extirper du fatras de son existence dérisoire le principal encore à venir.

9

Comment donc s'ébauchent les destinées humaines ? Pourquoi Evelyn cherchera-t-elle spontanément, naturellement, des ateliers d'artistes et de dessinateurs ? Et pourquoi s'ingéniera-t-elle à copier des annonces publicitaires de vêtements dans le *New York Times* ? Et s'extasiera-t-elle un matin devant une publicité de garniture pour tarte au citron dans le *Saturday Evening Post*, croyant y reconnaître une maquette peinte à l'huile, chez elle où l'art se limitait à une reproduction d'un Turner dans un coin du salon ? Que s'était-elle inventé de cette dorure pâtissière ? Ou plutôt, comment cette dorure-là, petit morceau d'étoile tombé dans un journal, allait-elle l'inventer, elle, Evelyn ?

C'est plutôt sa sœur Helen, de quatre ans sa cadette, musicienne de grand talent, qui aurait dû lorgner une carrière artistique. Mais elle n'avait d'yeux que pour un bon parti.

Evelyn harcèlera sans relâche le directeur artistique du magasin Eaton pour qu'il la mette à l'essai dans son atelier de dessin. Edgar Smith, excédé, finira par l'embaucher à l'été de 1939, dans la section des chapeaux.

10

Septembre de l'année 1939. C'est un peu par nécessité, un peu par hasard, qu'Evelyn se retrouve dans le grand hall d'entrée de Sir Georges William College, soudain clouée sur place à l'écoute du jeune homme noir qui répète là-bas l'Étude révolutionnaire de Chopin. Elle qui, après dix années de piano obligé sur les instances de sa mère, a appris à reconnaître le sublime, la voilà interdite, au milieu de la place et du trafic estudiantin, hypnotisée par la beauté qu'elle entend.

Vissée dans le grand hall de Sir Georges, le monde coule autour d'elle comme les eaux d'une rivière autour d'un écueil. Elle a fermé les yeux. Gênant leur course, elle ne sent pas ces étudiants qui la frôlent, « *Sorry !* », la contournent, « *Excuse me !* », galopent à ses flancs. Elle est une pouliche désarticulée que l'écuyer mène à sa guise. Et là où il la mène, il y a des orchidées bleues, des fleurs mangeuses d'hommes et des forêts de palétuviers. Moiteurs et torpeurs de mangrove.

Vient alors à tout son être avec le son s'élevant, une odeur, la musique tout à coup devenue parfum, comme la mer parfois se donne à humer plus qu'à ouïr. Exhalaison de commencement du monde, haleine primordiale qui, jadis, aurait transmué les cratères en eaux bleues, les déserts en jardins, les poussières en oiseaux, jusqu'à les distinguer tous, plantes, poissons et bêtes, et les humains entre eux, et jusqu'à la distinguer, elle, Evelyn Rowat, qui allait naître plus tard dans les siècles.

Quelque chose de sa vie, elle le sait, commence là, maintenant, dans ce baume envolé avec les notes de Chopin.

Ils se marièrent deux mois plus tard. Bernard Leshley, le pianiste, Evelyn Rowat, la jeune chapelière du magasin Eaton.

Ils s'épousèrent, seul à seul, devant une partition de l'Étude révolutionnaire de Chopin, Bernard au piano, Evelyn debout derrière lui. Ne se touchant pas, mais se passant au doigt, chacun l'un à l'autre, le silence même qui tintait. S'échangeant la clarté, oh la vive clarté d'un matin d'août repus d'été. Avec, pour tout témoin, un clavier de feu. Comme un cri d'amour.

11

Evelyn arrive au cœur de New York par la voie royale, la plus belle, la plus émouvante. C'est tôt le matin, le soleil de ce début d'été 1941 enflamme les eaux de la Upper Bay que fend le ferry qui mène de Staten Island droit dans le ventre de la bête. La traversée dure à peine quelques minutes pendant lesquelles l'hallucinante forêt d'édifices en hauteur se rapproche graduellement. De loin, Manhattan a l'air d'un gigantesque gâteau de mariage en étages.

Le ferry se faufile entre Brooklyn, sur la droite, Ellis Island et la statue de la Liberté, sur la gauche. Est-ce le matin qui fait se replier toutes ses défenses ? Evelyn en a les larmes aux yeux. Elle est là, devant elle, la mythique statue de la Liberté qu'elle a tant de fois vue dans des magazines et des livres scolaires et dont on lui a tellement parlé. Elle est là qui lui adresse de grands signes avec son flambeau auquel elle imprime un léger mouvement. La jeune femme répond en inclinant légèrement la tête, comme remettant son avenir entre les bras de la déesse, déposant sa vie dessous sa monumentale protection.

Dans l'éclaboussant doré du matin, les éructations de la bête grandiose se précisent. Evelyn n'est qu'à cela qui est sa naissance, sur un ferry en train d'accoster à Manhattan. Le monstre est là, elle le touche presque, gueule ouverte où apparaît une féerique dentition de verre et de béton. En selle sur son destin, dans la mordante griserie de la jeunesse, Evelyn n'appartient plus à rien ni à personne.

Bernard est resté à Montréal pour poursuivre ses études musicales. Il viendra la voir une fois par mois en train.

Novembre de l'année 1941. Deux semaines avant Pearl Harbor, Evelyn est à l'emploi de Lord and Taylor comme dessinatrice de mode. Elle vient d'obtenir sa carte verte et gagne 35 $ par semaine, trois fois son salaire du Eaton de Montréal. Bientôt elle aura son propre studio, des modèles attitrés posant pour elle, un appartement sur la 53e rue, un piano, la terre et tout le ciel pour sa seule convenance. Avec l'autorisation du grand patron de Lord and Taylor, elle pourra même signer ses dessins dans journaux et magazines.

12

Montréal, le 4 novembre 1944.

Evelyn,

Je ne vous connais pas ou si peu. J'ai seulement vu vos doigts courir sur les patrons, parcourir les tissus, remonter les cols, arpenter les poignets et les manches, gravir les pitons des boutonnières et jusqu'aux sommets escarpés des chapeaux de soie et de feutre. Je viendrai à New York. Accepterez-vous l'invitation d'un ancien collègue de Eaton ?

Faut-il s'étonner que ces deux-là devinrent amoureux un soir au fond de Central Park ? Evelyn Rowat demandant seulement d'être cueillie et réchauffée d'une froide enfance au milieu des collets montés des Daughters of the Empire, et René Marcil, d'échapper au destin clos des tavernes, des cordes à linge et des images pieuses du quartier ouvrier et canadien-français de Saint-Henri. Ils fondront dans l'amour comme dans un beurre blanc.

Museum of Modern Art. Ils sont plantés là, devant le lacis du ciel de Van Gogh, muets, fascinés, ciel plus ciel qu'en lui-même de *La Nuit étoilée*, peint en Provence en 1889. Transhumance de constellations, sardane de points brillants au-dessus des cyprès. La terre ne les porte plus, raflée par le cristal du firmament de Van Gogh.

Dehors, c'est la folie des veilles de Noël. Les passants défilent sur Lexington Street comme des nuées de fourmis laborieuses en quête d'une raison de vivre. C'est la cohue.

Mais dedans le MOMA, un homme et une femme s'éblouissent. *La Nuit étoilée* leur ouvre les yeux et le monde, et trace son énigme dans leur chair chaude.

Dehors, des milliers et des milliers d'haleines déversent leurs buées sifflantes qui s'en vont gonfler l'épaisse condensation formée par le froid au-dessus de la Hudson River. Les pneus des voitures crissent sous le frimas et la neige. Les magasins piaffent où tout s'achète.

Mais dedans, rien n'existe que donné. *La Nuit étoilée* s'insinue dans le moindre interstice des collines où sommeillent grives et sangliers, comblant du même coup leur vide d'existence à tous deux. Leur inanité.

C'est affamés d'amour et de bière fraîche que René et Evelyn arriveront au Rumplemeyer's dans South Central Park.

Ils dîneront sans toucher à leur plat, deux profils qui se dévorant des yeux et se berçant déjà d'interminables baisers dans la nuit glacée de Central Park, où la barbe de René givre sous les transports brûlants d'Evelyn.

René emportera pour toujours les doigts de la chapelière au fond de la poche de son vieux paletot. Et le cœur d'Evelyn déboulera comme une pelote de laine, hors de sa poitrine, roulera roulera, courage, sur le sentier des lèvres, roulera, embrasse-moi, roulera, sous une bruine de salive, est-ce bien cela l'amour, dis ? , roulera roulera jusque dans la nuit étoilée de Provence.

13

Cap Tourmente, 29 octobre 1945.

Evie,

Tu me dis que les collines sauvages de Las Vegas te fascinent. Et que le désert te semble une prière. Tu me dis que ta petite auberge de Lake Mead est un havre où tu te reposes de New York et de notre amour qui nous a tout volé, tout pris, tout dérobé, depuis quelques mois, ton dessin, ma peinture, nos jours et nos nuits, nos corps et nos esprits.

Repose-toi ma chapelière, repose-toi de moi et de notre amour.

Tu me dis qu'il te faudra résider au moins six semaines dans l'État du Nevada pour obtenir ton divorce. Fais tout ce qu'il faut faire, ma bénie, mon désert. Et repose-toi de moi. Et de mes épaules mortes dans tes bras et de mes lèvres encore bouffies de nos baisers.

Moi, j'essaie de saisir le vent du fleuve de Cap Tour-mente encore gorgé d'oies blanches ces jours-ci, où j'ai installé ma vie frugale et mon chevalet. J'essaie de saisir le vent léger, tu sais, le mince frémissement que font les oies qui s'envolent au-dessus des caps et des barachois ? J'essaie de le prendre, ce vent minuscule, aussi ténu qu'un songe, j'essaie de le couler dans le limon de mes tableaux.

Je suis au bord du fleuve où mon coeur navigue sur la poupe de notre histoire de misère. Evie, je vois des bateaux, petits, grands, d'écorce et de bois, à voiles et à moteur, des rafiots, Evie, et des voitures d'eau de l'Ile aux Coudres, goélettes et remorqueurs, cabotant sur nos petits bonheurs et sur nos grandes plaies, remon-tant le cours de nos insuffisances et de nos si généreuses intentions.

Je vois le peuple des Hurons et celui des Montagnais, fils du fer et des soleils bleus du Nord, filles du maïs et des porcs-épics, enlevés à leurs denses forêts pour aller décorer, par le fleuve de force, les cours de nos rois de France.

Je vois ces pêcheurs de nos côtes aux os des phalanges sciés par les lignes à remonter le poisson. Et le sang de leurs doigts qui giclent sur la morue.

Je vois mon père à skis, courant comme un fou sur les glaces qui se fissurent à mesure derrière lui, dans la baie de la Pointe-aux-Outardes, évitant le chaos à chaque glisse-

ment de ses maigres planches, homme seul livré à l'éternité du continent de glace qui vient de se détacher avec le vent d'ouest. Et tous ces hommes, aux dos couchés dans les p'tits chars descendant par la rue Notre-Dame vers les élévateurs du port de Montréal, dont ils nourriront la cadence du grain de l'aube jusqu'à la nuit, dans les effluves d'eau douce et d'esturgeons morts du fleuve.

Je vois ces milliers de Canadiens-Français remontant un autre fleuve, longue colonne de charrettes à flanc d'infinies plaines, allant se répandre comme des termites sur d'interminables terres plates et mensongères. Ils allaient coloniser l'Ouest canadien, Evie. En charrette à foin. Mon père fut de ceux-là. Parti un jour avec deux enfants dans sa charrette. Revenu dix ans plus tard, vieilli de trente, avec huit enfants de plus cordés dans la même charrette. Un tombereau d'enfants. Avant de mourir, il voulait revoir son fleuve, le premier de ses jours, celui qui est d'eau et de joncs, le Saint-Laurent.

Je vois les noyés du fleuve, Evie, jamais remontés de leur drave héroïque et suicidaire à l'embouchure des rivières. Et tout ce peuple d'eaux sombres qui ne sait pas nager. Ni les parents. Ni leurs enfants. Qui ne savent que se noyer, Evie. Et nos soldats engloutis dans le sang qui reflue des plages de la Normandie jusqu'ici. Les nouvelles d'Europe sont enfin bonnes. Mais Dieu que de noyés et de morts !

Je voudrais pétrir l'âme du fleuve et la rouler sur mes toiles, inoubliable pâte de bateaux, de noyés, d'oies blanches et de charrettes à foin.

Je voudrais savoir peindre cette genèse d'eau, cette génétique de fleuve qui coule dans les veines des hommes d'ici, cette connivence du vent avec les souvenirs et les lacs. Et refaisant le lit de la mémoire, pouvoir refaire celui de la peinture.

Tu viendras voir la lumière de ce fleuve-là, Evelyn. Je t'y emmènerai. Une lumière impossible de démesure, impossible à coucher sur une toile. Trop gigantesque. Comme une surabondance d'espace pour un temps d'histoire trop court. Impossible. À moins d'avoir du génie. Je voudrais avoir ce génie-là, comprends-tu ?

Je m'acharne, je m'échine, je m'arrache la peau des doigts à recommencer, je pèle une à une mes gerçures, à tout refaire, à tout reprendre, encore et toujours, fluvium rasum, *je ne dors plus, forçat de mes couleurs, obsédé par le désir d'offrir cette lumière-là, Evie, d'éblouir, de t'éblouir, aveuglante luminescence du jour, insaisissable dans sa netteté de lave.*

Toi et les tiens de Town of Mount Royal n'avez pas idée ou si peu de cette lumière-là. Sauf quelques-uns d'entre vous, estivants à Métis Beach, en face d'ici, sur l'autre rive. Vous êtes quelques centaines à avoir osé dépasser la ligne de Québec vers l'est, quelques centaines à calfeutrer le pas de vos portes et à barricader vos villas quand revient l'automne sur le fleuve et poind la chienne de froidure, tandis que nous retournons à nos poulaillers et à nos braconnages.

Connais-tu parfois, toi aussi, la mélancolie, Evie ? Comme une douleur remontée dans l'âge et qui se regarderait elle-même par-dessus l'épaule du temps ? Comme une sorte d'ennui de l'antérieur, mais on ne sait plus lequel ? Une béance dans le cœur de l'histoire, mais on ne sait plus quelle histoire ? Je te chanterai Un Canadien errant, *mon Evie, la complainte qui fait pleurer tout le monde ici.*

Un Canadien errant, banni de ses foyers,
Parcourait en pleurant des pays étrangers.
Un jour triste et pensif, assis au bord des flots,
Au courant fugitif, il adressa ces mots :
Si tu vois mon pays, mon pays malheureux,
Va dire à mes amis que je me souviens d'eux. [2]

Profite de chaque seconde de ton désert, Evelyn ma chapelière. Je t'attends comme personne, jamais, n'a attendu quelqu'un ou quelque chose. Sauf peut-être un peintre attend le vent.

René

14

Elle est là, jambes allongées sur la galerie de l'auberge surplombant le lac Mead, lentement grillant sa Player's dans un désert de nuit chaude où la brise et la lune sont pleines.

Pas besoin de descendre dans l'eau du lac pour s'y baigner. Au creux de la nuit du Nevada, elle nage dans l'immense vivier ouvert sur Pégase et Cassiopée, se disant à elle-même, pour soi tout seul, qu'il faudrait que cette brise-là fût à manger.

L'air du soir est plus eau que l'eau. L'air du soir sera son bain de nuit.

Sa jeunesse, elle le sait, se termine dans cette nuit d'aquarium et de cigales. Les cigales plus nuit que la nuit.

L'amour existe pourtant dans sa verdeur fougueuse. Evelyn en meurt à chaque instant.

Mais cette nuit, elle le sait, est la dernière de sa jeunesse vive, parce qu'elle signe à jamais la fin de l'insouciance. Attendant elle-même fiévreusement, Evelyn se saura désormais attendue, et responsable d'une joie qu'il faudra sans relâche mettre et remettre à jour. L'amour est un jeu pour les grands. Elle l'apprit quand Bernard, le dandy, Bernard Leshley, le dieu si fier, se mit à genoux devant elle, l'implorant, au bout de ses sanglots, de ne pas partir.

Anéantie dans la douceur du soir sur le lac Mead, elle embrasse l'apesanteur et contemple sa quiétude.

Soudain se lève dans la chair de la lune une chose qu'elle n'avait jamais vue et que, de sa vie, elle ne reverra plus : un kangourou, vaste bête, semblant humer du haut de sa grandeur et de ses naseaux cosmiques quelque tache de l'astre.

Le kangourou disparaîtra tout à coup comme il était venu, tournant le coin de la lune pour s'engager dans le vide sidéral, comme est en train de s'évanouir la jeunesse d'Evelyn, tournant le coin de la liberté pour s'engager dans l'amour.

Demain, elle part retrouver René à New York.

DEUXIÈME PARTIE

FAIMS

Les Années symbiose

15

D'où leur vient ce fol appétit de connaissances, cette inextinguible faim de lumières, de toutes ces lumières aux transcendantes auréoles qui les ont précédés ? Ils sont insatiables. Fous. Burlesques. Ils dévorent tout ce que New York recèle de musées, d'opéras, théâtres, ballets et librairies.

Evelyn fait à présent, et régulièrement, la une de *Vogue* et de *Cosmopolitan*. Passée de Lord and Taylor à Bonwitt Teller, elle est la nouvelle étoile de la mode new-yorkaise et commande de faramineux cachets. Les agences se l'arrachent.

Elle a acheté un appartement, angle 5th Avenue et 71st Street, qui surplombe le Frick Museum, musée exigu, calme, presque intime, où elle et René ont élu domicile, annexe de leur demeure, le Frick Museum dont ils contemplent les jardins depuis leur séjour. Ils n'ont qu'à étendre le bras, tendre les narines pour palper, humer les toiles des maîtres anciens, ceux dont René copiait les contours à partir des cartes postales distribuées dans les églises de Montréal, les Raphaël, les Della Francesca qui furent sa pâture unique, enfant des années vingt. Tandis que Saint-Henri et ses logements trois-pièces-huit-enfants s'agenouillaient au chapelet du soir, dessous les *caleçons à grand's manches* des ouvriers frigorifiés. Et que les hommes de la Côte-Nord, de la Gaspésie, de la Mauricie, couraient de moulin en moulin, une hache entre les dents, avec, aux pieds, des bottes découpées dans la *poche de patate*.

Faim. Faim d'autres choses. Folle furieuse faim. De tout et d'ailleurs.

Evelyn, elle, dans son Town of Mount Royal plus fortuné, n'avait guère côtoyé davantage qu'une reproduction, signée Turner, du navire de l'amiral Nelson mettant l'armée française en déroute à Trafalgar, trônant au milieu du salon ; un ruisseau au dégel, tiré d'un calendrier des Daughters of the Empire ; l'appareil Victrola où son père mettait à jouer l'ouverture de William Tell les samedis après-midi ; le piano droit et les lampes à frisons.

Ce furent leurs seules nourritures. À eux et à leurs pères. Alors que Paris contemplait sa neuve tour Eiffel et se remettait de son Exposition universelle, et qu'était inauguré le trottoir roulant sur la rive gauche de la Seine. Ce furent leurs seuls aliments. Pendant que sévissaient les Colette, Cocteau, Artaud, Picasso, ils construisaient leurs maisons de bois rond ou descendaient avec leur boîte à lunch casser la gueule du *foreman* irlandais.

D'où leur vient cette faim sidérale ? Du manque. De la bigoterie. De la pauvreté intellectuelle et entretenue par une société où il y avait plus d'avenir, leur disait-on, à *marcher au catéchisme* qu'à mémoriser l'alphabet. Où les mathématiques s'apprenaient au boulier des indulgences consenties pour les péchés véniels ou mortels. Où les anges, les archanges et les séraphins cultivaient les imaginaires plutôt que Nelligan et Laure Conan, Cendrars et Mallarmé, Joyce et Fitzgerald.

C'est de là qu'ils viennent.

Ils sont insatiables. Acharnés à remonter la privation, obstinés dans la création de leur vie et de leur œuvre. Ils courent. Du Metropolitan Museum au *Lac des Cygnes* à la *Tosca* à Shostakovitch, ils courent à bride abattue. Quand Evelyn est à son dessin chez Bonwit Teller, René peint à l'appartement. Ils se retrouvent en fin de journée au Museum of Modern Art, sur la 53rd Street. Ils courent encore, ils ont faim, ils ont tellement faim, c'est la beauté qui les sauvera, ils courent, ils courent, surtout ne pas se retourner, c'est l'art, c'est la création qui les arrachera tous deux à leur prédestination. Ne pas regarder en arrière, plus jamais St-Henri, plus jamais TMR. C'est Rembrandt et Van Dycke, mais aussi Matisse et Bonnard dont la gigantesque rumeur venue d'Europe a atteint les rives de l'Amérique, qui les guériront. Ils le savent, confusément, mais ils le savent. Et ils courent. Hors d'haleine. Plus jamais la famille, plus jamais les amis, les fanions, les lampions, les glaçons, plus personne, plus jamais.

16

Qui est prisonnier de qui, Evelyn de René ou René d'Evelyn ? La porte du 3 east 71st Street reste fermée à toute tierce personne, René peignant comme un forcené du matin jusqu'au soir, refusant tout visiteur et toute invitation. La moindre critique de son travail lui est insupportable, la moindre remise en cause le rend furieux. « Evie, Evie, vois-tu le vent, vois-tu passer le vent sur mes toiles ? Evie, dis-moi que tu vois. »

Elle aussi travaille jour et nuit, dans la découverte exaltée de la fureur de vivre, de vivre comme jamais, enfin délivrée de sa jeunesse à l'empois et aux chignons crêpés. Le « New Look » de Dior arrive en Amérique comme un choc. Les collections parisiennes atterrissent à New York dans la frénésie de l'après-guerre. Elle est fascinée.

Pourtant fort active à l'extérieur, fréquentant la galaxie de la mode, ses ateliers, photographes, modèles, couturiers et publicitaires, Evelyn construit sa prison à même ce paradoxe : en permission dehors et enfermée dedans.

Ils se claustrent tous deux, chaque jour ajoutant une pierre à la forteresse qu'ils érigent pour se protéger contre le monde, chaque jour se reconfirmant à eux-mêmes la volonté d'échapper aux traquenards de leur vie ancienne, et se répétant qu'il vaut mieux vivre confiné qu'abusé.

Elle ne cesse de s'ébaudir devant les tableaux de René. Son admiration pour lui et pour son œuvre est sans partage. Elle, pourtant sollicitée, fortunée, admirée, se redit sans cesse qu'il est celui qui la réchappe, jour après jour qui la stimule, la fait se dépasser et dépasser son destin, depuis toujours inscrit dans le ciel, d'apprentie chapelière chez Eaton. Ils doivent tout à l'art et elle doit tout à René. S'est installée entre eux, oh si subrepticement, tellement à la dérobée, une sorte de lien maître-élève avec lequel ni l'un ni l'autre n'arrive plus à rompre. Leur vie devenue leur geôle.

Mais une geôle qui la laisse encore pantoise de bonheur parfois, quand le soleil descend sur Central Park et qu'ils vont revoir *La Nuit étoilée* et que René, discrètement, lui prend la main. Alors l'amour des hommes et des femmes, leur amour à eux deux, l'amour de la terre coule comme une fondue d'étoiles aux pépites d'humanité concassée.

Chaque fois, Evelyn en reste le souffle coupé. Une main humaine, palpitante et chaude, tenant sa main à elle ? Il n'aime pas la toucher, pas plus qu'il n'aime qu'elle le touche. Evelyn n'y a jamais rien vu d'autre, d'ailleurs, que de tout naturel, bat-flanc entre eux posé depuis bien plus loin que leur mémoire. Elle, qui attend encore la caresse de sa mère au fond d'un petit lit doré de TMR.

Lui, qui n'avait jamais reçu de baiser qu'au fond d'un jubé sombre de St-Henri, une fois, une seule mais extatique fois, d'un seigneur aux pieds d'encens qui avait entonné un inoubliable *Panis Angelicum*, ce baiser-là, plus troublant qu'un sein de femme gorgé de lait. Il avait treize ans.

17

Jamais satisfait de ses toiles, René maugréait tantôt contre le trop, trop d'emphase, trop de prétention, tantôt contre le pas assez, pas assez de mouvement, pas assez de brûlure, ou contre le terne, ou contre l'esthétisant, trouvant ses blancs en panne d'éclat ou ses verts trop verts ou ses bleus excessifs. Evelyn le quittait au matin, lui déjà rageant sur ses pinceaux, et le soir venu, elle le retrouvait, un restant de Coca-Cola au fond d'une bouteille et des cacahuètes chues sur le plancher dans leur papier gras, au milieu des esquisses encore frémissantes de ses coups de sang. Chaque fois, Evelyn l'encourageait à poursuivre dans cette voie qui était sienne et commentait ses travaux, commentaires adaptés à l'humeur de son interlocuteur, mais toujours louant son talent et sa ténacité. Lui la méprisait en silence d'admirer ses toiles. Comme on méprise ceux qui nous aiment et que nous n'aimons pas. Pourtant il l'aimait. Du moins se le disait-il ainsi à lui-même.

Vêtu de son vieux paletot en poil de chameau, il allait marcher pendant des heures dans Central Park, au cœur de la nuit, cherchant à tâtons la voie pour arriver à peindre les souffles du monde. Il faisait des photos, croyant ainsi pouvoir se saisir des clés du vent, le tenir, enfin captif, entre ses doigts friables. Ses flashes trouaient la nuit new-yorkaise de leur déclic sec.

Mais c'était peine perdue. Il rentrait au 3 east 71st Street l'air perdu, un peu hagard, il ne faisait que tourner en rond, pensait-il. C'était trop dessiné, trop figuratif, pas assez dépouillé, pas assez sobre. Le vent ne devait, ne pouvait être que suggéré, évoqué, d'un jet simple et nu.

Bastide inarrachable sous les assauts chimériques de René Marcil, le vent restait désespérément imprenable, tel l'oiseau du temps, que l'on entend de partout sans le voir.

Un soir, de retour d'une représentation du *Songe d'une nuit d'été*, René développait des photos dans le noir, Evelyn à ses côtés. New York était une mer dansante de lumières et un indescriptible raffut à leur fenêtre. Il la frappa au visage. « Je te déteste. » Une fois, deux fois. « Tu n'es qu'une moitié d'artiste. » De l'acide s'était renversé. Ils ne rallumèrent pas.

Dans la pénombre, on n'entendit plus que le vacarme de leurs poitrines affolées. Ils restèrent figés devant les photos mouchetées d'acide, qui faisaient comme des taches de sang sur un drap.

De cela ils ne reparlèrent jamais. Evelyn mit l'épisode sur le compte du découragement de son peintre-compagnon.

Ce soir-là, elle ne remarqua pas la patte rompue du petit oiseau domestique, serin peut-être, qu'ils gardaient en cage depuis leur installation au 3 east 71st Street, et qui, mystérieusement, mourut le lendemain matin.

18

23 octobre 1949.

Evie,

Voilà quatre ans que je vis sous ton toit, qui ne sera jamais le mien. Je n'arrive pas à m'y fixer, pas davantage là que dans le reste de ma vie. Je ne trouve ni mon temps ni mon lieu. Sauf à côté du Della Francesca de notre Frick Museum, où je voudrais me statufier.

Tout me résiste. Les formes, les angles, les couleurs. Mes doigts, mes pinceaux. Je lutte à chaque instant contre l'envie de tout casser et de te casser avec. Comment comprendre, Evie, le sais-tu ?

Tu as beau me dire que tu ne crains rien, côté argent, et qu'il t'agrée de me permettre de peindre sans avoir à gagner mon sel, je n'en puis plus de cette existence.

Ce sénateur McCarthy du Wisconsin, qui commence à rallier une large audience, me fait vomir, et je trouve à New York une sale gueule qui ressemble trop à la mienne. Ce qui nous arrive d'Europe, de la France, me donne quelque espoir.

J'ai besoin de vent. De souffle vital. Comme le fétu d'herbe a besoin de l'haleine de la terre. Et les ouaouarons des étangs, de la brise du soir.

Les peintres japonais disent qu'il faut devenir dedans ce que l'on aspire à représenter dehors. Je veux être le vent, Evie, embaumant le chèvrefeuille et la fleur d'églantier, fleurant la morue et la poire sauvage. Abandonné aux astres tel un chien sur le dos, je veux renifler ma vie tous naseaux dehors. Je veux avaler les fauvettes et gober les colibris, les digérer puis les régurgiter au vent de mes doigts sur la toile. Parce que les oiseaux sont les os du vent, Evie. Et le peintre est un poète, comme un filet tentateur.

Je pars pour la France. Avec ton argent qui est ma pitance et ma honte. Et sur un vol d'Air France que tu auras payé.

René

19

Appuyée sur le bastingage du paquebot *Liberté*, Evelyn voit se rapprocher le port du Havre dans l'or du printemps de 1950. Elle marche sur les eaux du bassin havrais, glisse sur la patine des flots vert-de-gris, son cœur affolé de reconnaître la lumière, l'impalpable lumière de la *Terrasse à Sainte-Adresse* de Monet qu'elle avait si longuement admirée au Metropolitan Museum. Elle vogue sur la flamme blanche des vagues, le corps renversé sous la caresse des rayons pâles, elle venue de si loin, venue de si froid, la peau des yeux salée comme l'air, elle exulte simplement. L'Amérique, où elle a abandonné corps et biens, vendu appartement, piano et mobilier, est déjà loin derrière. À genoux dans le pervenche de cette journée d'aurore, elle est tout entière à sa jubilation.

Tout à l'heure, à la vue des falaises tranchées au sabre que longeait le bateau, l'avait traversée une question oppressante : comment des hommes, à mains nues, avaient-ils pu escalader une telle palissade sous les roquettes et les balles, étouffés par les sangles de leur havresac, les reins barrés par un fusil-mitrailleur ? Comment, mais comment ? C'était là, presque à portée de la main, qu'étaient morts les deux frères de sa mère, poitrines clouées à la paroi, morts écartelés comme deux araignées restées prises dans leur toile de chairs fumantes et d'éclats d'obus. Au milieu des cris surhumains d'encouragement mutuel et du râlement des mourants. C'est là qu'ils étaient morts tous les deux, ses jeunes oncles qui l'avaient tant fait rire avec leurs pitreries. Crucifiés sur les murailles de cette pétaudière atroce.

Mais le feu de sa joie l'avait emporté sur le feu des bombes anciennes. Elle n'y pouvait rien, n'arrivant plus à contenir ce qui faisait exploser tout son être des bonheurs anticipés de la découverte qui l'attendait. Et du périple qui la mènerait elle ne savait où, peu lui importait, elle touchait presque le bout du monde.

Le *Liberté* est maintenant en rade. Au loin des enfants jouent sur les galets, Evelyn peut les voir distinctement. Ils lancent des bouts de bois à des chiens fous qui, sous les imprécations rieuses, volent dans la mer. Une foule est rassemblée sur le débarcadère pour accueillir les voyageurs. Le paquebot mugit de trois longs coups de tonnerre.

Soudain, elle l'aperçoit. René. René Marcil, si loin d'elle encore, si minuscule planté sur la plage, galet parmi les galets avec son vieux paletot de chameau. Mais elle ne voit que lui. Seul, en retrait de la foule, au garde-à-vous devant la Manche miroitante.

Ils fondront dans les bras l'un de l'autre sans rien dire. Et les lumières de Monet, de Dufy, de Boudin et toutes celles du ciel et de la mer les prendront dans leurs bras de lait. Tandis que sur une joue de René glissera une larme, une seule, l'air de ne pas savoir quoi faire d'elle-même, ahurie de se trouver là.

Une larme de lui à elle.

Sur la plage du Havre, Evelyn venait de lui faire le don des larmes, lui qui n'avait jamais pleuré. Et avec le don des larmes, le don du vent, oh le plus menu d'entre toutes les sortes de vent : celui qu'émet une larme d'humain qui déborde de la paupière et flue jusqu'à la joue.

Le soir même, ils sont à Paris, enlacés sous les toits d'un petit hôtel près de St-Sulpice. La Seine, à deux pas, est une théière de vieil argent renversée entre Notre-Dame et la Conciergerie. De son bec coule un filet de lune.

Ils s'aiment sous les toits, ils s'adorent comme jamais. Paris est un thé à la menthe, sucré comme leurs baisers sans fin.

Cette nuit-là, dans les bras d'Evelyn, René mit à l'épreuve ses larmes nouvelles.

20

La salle est vaste, avec de l'âme à revendre. Chaises de bois. Chevalets de bois. Plancher de bois : longues lattes vernies comme dans un atelier de danse. Tentures lourdes de velours.

Au fond de cet écrin marron et chocolat, se trouve, légèrement surélevé, un tréteau, de bois lui aussi, où posent les modèles, tout près d'un poêle en fonte aux rondeurs d'une pipe à tabac.

L'Académie Grande Chaumière accueille chaque jour dans son ventre hâlé, moyennant un prix d'admission dérisoire, les peintres qui s'y présentent. Modigliani et Soutine fréquentèrent en leur temps ce repaire au cœur de Montparnasse. René, fidèle entre les fidèles, s'y présente chaque jour à la première heure.

Deux étages au-dessus, il entend Coco hurlant à la lune du haut de son perchoir, comme un vieux loup malade, Coco, naguère le modèle de Matisse, laideron magnifique avec seulement la peau et les os. Et deux mèches étamées ployant de son crâne comme les branches d'un saule pleureur. Chaque matin René peut entendre le vieil hurluberlu répéter : « Ah ! ce que la nuit est claire, dis donc ! » Coco s'en va se coucher, faisandé d'alcool et de garçons en jupon.

Sitôt la porte de l'Académie refermée, et allumé le feu de poêle, le cérémonial peut commencer.

Le modèle, jeune homme ou jeune femme, se dévêt, plaçant ses vêtements en boule dans un coin du tréteau. Comment expliquer cette pudeur qui semble partagée par tous à regarder ces jeunes gens pendant qu'ils se dénudent, alors que le groupe n'aura aucun scrupule, eux posant, à les scruter à la loupe et sous tous les angles ?

Comme si la chair des hommes et des femmes en train de se dénuder, abandonnée à son humanité dérisoire dans ces gestes si désespérément prosaïques, était plus intimidante que le corps flambant nu exposé dans sa gloire.

Maintenant le modèle prend place devant les chevalets alignés comme dans une fosse d'orchestre.

René observe longuement. Puis il amorce une sorte de gesticulation dans l'air, mouvements d'abord anguleux, plutôt brusques, puis de plus en plus amples, ronds, dégagés, jusqu'à sembler battre la mesure d'un andante. Là, il entaille sa feuille vierge, tramant à gestes vifs, gestes de presque panique, une tête d'abord, puis un torse, des éclaboussures de corps dans le cloaque du burinage. Surtout ne pas perdre sa vision qui, dans une seconde, aura disparu.

C'est ainsi qu'il dessinera des monceaux de feuilles, jour après jour, jusqu'au soir venu. Passant de rage à résignation, de doute inhibant à audace besogneuse.

Combien de talents se sont cassés les dents dans cet atelier de la rue Grande Chaumière ? Combien de rêves crevés comme de vieux ballons ? De quêtes d'eaux, de vents, de poussières, déçues, volées, trompées ? Puis d'impatiences et de ruades contre l'injuste destin ? D'exaspérations face au front des refus, des galeristes, des musées, des critiques ? Combien de vies échouées sur les récifs du manque de reconnaissance ou de génie tout simplement ? *Il faut le don, si on ne l'a pas, c'est un crève-cœur.* [3]

Quand la messe est dite et que René émerge de son monde sous cape et sort enfin la tête, le soleil, dehors, est un vaste œil incarnat qui tombe dans les platanes.

Bas les pattes ! Mais la bête ne veut rien entendre. Paris s'active pour la nuit.

Coco, lui, entame sa journée.

21

Evelyn fait ses délices de la bête déchaînée dont elle parcourt fiévreusement les entrailles et jusqu'au cœur. Assise en amazone sur le grand saurien, elle plane de la Sainte-Chapelle, à l'Orangerie, à la Tour Eiffel, déroulant devant elle les chocs esthétiques, les émotions architecturales, de sa main venteuse empoignant les splendeurs.

Notre-Dame, vue du pont d'Austerlitz, a l'air d'un pachyderme à croupetons sur ses pattes de derrière, pense-t-elle. La première fois qu'Evelyn y pénétra, le tremblement de terre eut lieu, inattendu, quand l'organiste entama un Couperin. Sur-le-champ, elle se mit à pleurer sans pouvoir s'arrêter. Elle eut curieusement une pensée pour sa mère, curieusement parce qu'elle s'était persuadée que sa mère n'existait plus, ou que, si elle existait encore, elle, Evelyn Rowat, avait réussi à l'oublier.

De Notre-Dame à Montmartre à St-Germain, la jeune femme avait tout son temps et une fortune devant elle, vivant de ses acquis, en faisant bénéficier son compagnon sans compter. « Quand il n'y en aura plus, il y en aura d'autre. »

Elle ne cessera jamais, d'ailleurs, où qu'elle se trouve, de faire parvenir de l'argent à René.

22

Je la vois, posant pour René dans l'appartement de la rue Séguier, le 14 rue Séguier, adossé au Quai des Grands Augustins, docile, appliquée à ne pas broncher devant le peintre intraitable comme un vieil ours mal léché. Quand elle bouge un tant soit peu, au bout d'interminables minutes à retenir son souffle et la moindre esquisse de détente, il crie. Elle se reprend sans mot dire et réintègre sa posture figée, se rendant à nouveau minérale, coagulée dans sa peau de plâtre, essayant de réduire le pouls de son cœur qui bat d'autant plus fort qu'elle voudrait l'enfouir. Comme un fou rire.

Prison du regard de son peintre-compagnon pendant des nuits entières, prison dont le rictus incertain et les traits douloureux de René forment les barreaux. Elle est tantôt la proie enchaînée à son prédateur, tantôt l'agnelle du berger amoureux, amoureuse elle aussi. Entravée mais fascinée. Captive captivée. Quand la femme de René, tyrannisée, rage refoulée, aurait voulu fuir ses chaînes, voilà que le modèle du peintre Marcil en redemande, éprise de ses fers.

Étrange couple, assorti par la médiation du chevalet, mais que le seul amour désassortit. Étrange couple, à qui le danger de la toile importe plus que tout.

René cherche la lumière qui nimbe le corps nu d'Evelyn, il cherche les ombres qu'elle abrite plus claires que le jour, lactescente clarté qui coule sur son torse. Mille fois il découpe et redécoupe son profil, chantournant le galbe de son visage ou de sa hanche.

À présent l'aurore paraît sur le Quai des Grands Augustins. La boue des couleurs du peintre se mêle à la boue des corps suintant, emmêlement de cheveux et de pinceaux, salmigondis de poils et de brosses, désir du corps emboîté dans le désir de l'œuvre. Bouches buveuses des pigments de la toile, bouches de vos mains salivantes et gouttues, ils ont faim, ils ont faim, ils ont tellement faim, déposez sur moi vos couleurs, marcheurs faméliques des clairières neigeuses, amants aux pieds froids, dessinez-moi je vous supplie, ils appellent, ils appellent, cris creux fous à lier comme la prière des condamnés, je vous en prie jaillissez sur nos peaux pénurie et sur nos âmes rares, ils ont faim, ils ont faim, ils ont tellement faim.

Et s'aiment à mourir dans l'aube émolliente.

23

Evelyn avait élégamment meublé l'appartement de la rue Séguier à l'encan de l'Hôtel Drouot. Elle en avait fait un havre de travail et de paix, avec, en son cœur, une immense pièce aux murs de brique et aux larges fenêtres qui faisait office d'atelier à son peintre-compagnon et d'où il pouvait apercevoir, s'élevant comme un dard dans le ciel de Paris, la flèche de la Sainte Chapelle.

Un jour, transportée de joie et croyant enfin tenir un lieu où René se plairait à vivre durablement, elle lui annonça qu'elle venait d'acheter le bail du 14 rue Séguier, un bail de neuf années, pour la somme dérisoire de cinq mille dollars. Ensuite, il leur en coûterait seulement deux cents dollars d'un loyer annuel et presque insignifiant.

Pour tout accusé de réception, René lança un pot de peinture dans la glace, fulminant. Et séance tenante, disparut dans la nuit et ne revint qu'au petit matin. Elle en resta muette de sidération. Paralysée.

Incroyable, mais pourtant vrai, le lendemain, Evelyn mettait en vente le bail qu'elle venait tout juste de conclure. Et commençait à faire ses malles. C'était en février de l'année 1954.

René voulait rentrer chez lui à Montréal, à Cap Tourmente, à Pointe-aux-Outardes, chez lui en Amérique. L'Amérique lui manquait, ses habitants mal équarris, leurs travaux et leurs jours pas assez policés, les lèvres bleues des routes de givre.

La vieille pierre de Paris, qu'il considérait pourtant exquise part de la beauté du monde, était tout à coup devenue le matériau de ses regrets. Et devant la forêt de St-Germain-en-Laye où il allait marcher parfois, et toutes ces forêts de la vieille France, triées, balayées, épousetées, impeccables rangées de platanes et de chênes, sous-bois léchés, et tous ces jardins essorés, astiqués, il n'était plus à présent qu'un nœud de nostalgie. Toute cette perfection lui donnait mal à la tête.

Lui manquaient le sauvage, le non domestiqué. Les bois sombres en repousse désordonnée. Les terres en friche, souches offertes comme des croix de chemins. Toute cette vie robuste et sans apprêt qui finit par composer une élégance d'être. Et les grands joncs gelés du fleuve en face de Verchères et de Berthier et de Donnacona. Et les ciels inentamés, si limpides qu'ils semblent ne pas avoir de fond et déjà ressortir à l'infini du cosmos.

Lui manquait, comment dire, du bancal, sorte d'inconscience ludique de qui n'a pas souffert de grandes guerres, de pogroms et d'Inquisition, mais seulement de la dureté sans nom des climats. Et de la rapacité de l'homme pour l'homme, quoique cette rapacité soit partout également partagée sur le globe. Bric-à-brac des âmes et des corps lâchés dans la jouissance goulue du répit, après avoir vaincu les éléments démesurés et la misère noire.

Lui manquaient les arrière-cours des villes criaillant d'enfants, les couleurs et matériaux désassortis plaqués sur les maisons, formes édentées, reliefs en saillies erratiques, disharmonie un peu rustaude. Lui manquaient quelque chose d'un relâchement, la désinvolture crâneuse sur les parvis des églises, les syllabes escamotées et le rire guttural de ses congénères de ce côté-là de l'Atlantique, quelque chose de non contraint, de non retenu, enfin de l'inorganisé. Lui manquait la virginité du Nouveau Monde.

René Marcil se languissait de sa terre natale.

Et sa peinture, pensait-il, et tout compte fait, y serait mieux comprise.

24

Pointe-aux-Outardes, hiver 1956.

Evie,

Tu me dis que New York est sous la neige et que tes yeux sont restés rue Séguier. Qu'il t'arrive parfois de composer avec tes deux mains une sorte de téléscope, rétrécissant ton champ de vision, le réduisant à la seule dimension de quelques mètres carrés du frémissement de la Hudson River, un grain de la peau de l'Hudson sous les nuages. Alors tu t'imagines, tu y crois ferme, que c'est la Seine qui miroite entre tes paumes repliées. Tu fermes les paupières, et tu vois, y touches presque, le pont Mirabeau, les tours de Notre-Dame et le fin bout du Vert Galant où tu pourrais, en t'y penchant, laver tes cheveux.

De ta neige new-yorkaise où tu rêves à Paris, tu me vois debout dans ma tempête laurentienne, debout

comme un seul homme sur le rocher le plus avancé de la
Pointe-aux-Outardes où, voilà des siècles, j'ai abandonné
mon père sur ses skis maigres. Tu me vois empalé à mon
chevalet dans la tempête, à rêver moi aussi d'un ailleurs.
Mais ton ailleurs à toi est accessible. Le mien ne l'est pas.

Où faut-il que j'aille, Evie ?

J'avais cru que les vents de la banquise, ou ceux qui
s'enlacent autour des arbres chenus du Nord comme des
serpents qui se mordent la queue, que ces vents-là éclairci-
raient mon horizon, que je m'y perdrais pour mieux m'y
trouver, comme ce petit avion à skis entraperçu, l'autre
jour, ballotté comme une feuille, qui cherchait la piste dans
la bourrasque et la neige intense, s'y reprenant une fois,
deux fois, puis trois fois, cherchant le courant de netteté,
fouillant le marasme en quête d'une seconde d'évidence,
qui lui permettrait de se poser. Ah ! que j'eus aimé être ce
pilote qui, dans la brousse blanche, sut trouver sa voie entre
les feux de secours disposés de chaque côté du couloir, sut
rétablir la terre et le ciel de leur magma indifférencié.

J'ai bien cru que du gâchis où je me trouve et de là où
je t'écris, encastré dans ma boîte de couleurs, s'élabore-
rait enfin la naissance du jour.

Mais la médiocrité m'avale doucement, Evie. Palu-
dier d'infortune, j'ai peur du printemps qui vient, la
saison des enlisements dans la boue neuve des sols. Je le
vois venir avec effroi.
T'irriterai-je, Evie, te scandaliserai-je même, si je te dis
qu'à moi aussi manquent les odeurs de rancio de la France,
et sa clémence, Evie, une clémence qui en ce moment me

semble infinie, celle des menthes à l'eau aux terrasses des cafés, des bottes de radis aux étals des marchands et des lumières obliques d'où tombent des anges ? Et si je te dis que je mettrai bientôt le cap sur les amandiers en fleurs et les narcisses qui pointent leur museau dans les collines de Bonnard, tout au sud ? Te malmènerai-je si j'ajoute : viendras-tu m'y retrouver, Evie ?

Je passerai par New York où tu as bien voulu présenter quelques-uns de mes tableaux à la Galerie Van Diemen-Lilienfeld. Je t'en sais gré. Si je vends une toile, je pourrai enfin rompre avec ma dépendance de tes envois d'argent. Peut-être même pourrai-je te rembourser une partie de tout ce que je te dois ?

Je retourne à ma tempête, en rêvant des bleuâtres brises de la Provence.

René

25

Evelyn avait réussi un exploit, l'impossible en quelque sorte, quand la réputée galerie Van Diemen-Lilienfeld sise sur 57th Street, connue pour avoir découvert des talents, lui avait ouvert la porte devant sa détermination, son entregent et son pouvoir de conviction.

Armée du porte-folio de son compagnon, dont elle croyait au talent hors du commun, elle avait réussi à persuader Karl Lilienfeld de la pertinence de consacrer une exposition au peintre René Marcil.

Evelyn lui avait aussi fait valoir une lettre du prestigieux Guggenheim Museum dont le directeur s'était dit bouleversé par une toile de René, *Nature morte aux pommes rouges et vertes*, créée quelques années auparavant, rue Séguier. Et pour laquelle elle-même nourrissait une affection particulière. Mais, à l'époque, le peintre avait négligé de répondre à l'appel pourtant non équivoque du directeur Sweeney. *I was struck by the large still life which you very kindly left at the Museum for our viewing. I trust in the course of the coming summer you may consider letting us see further subsequent examples of your work.*

Poursuivant une carrière enlevante dans la mode à New York, Evelyn avait encaissé le oui sonore de la Galerie Van Diemen-Lilienfeld comme une victoire personnelle venant s'ajouter à un parcours déjà jalonné de succès.

Evelyn voyait ainsi s'accomplir ce qu'elle croyait être le rêve de toute personne en aimant une autre : aller lui décrocher la lune. C'était là, pensait-elle, un des ouvrages les plus fulgurants de l'amour et donné à peu de gens de vivre. La carrière internationale du peintre René Marcil était lancée. L'accrochage des tableaux aurait lieu en mai. Mais le décrochage de la lune était chose faite.

En nulle autre compagnie qu'elle-même, elle avait savouré cette grâce en buvant quelques larmes de Lagavulin. Elle avait levé un verre ambré, tout droit sorti des viviers salés d'Écosse, au succès de René. Et à ce qu'il fallait bien appeler leur amour, cette étrangeté qui continuait de vivre presque malgré eux.

Et cette nuit-là, devant New York piqué des feux de milliers de barques mouillant au bord des falaises de l'Empire State Building, elle avait écrit ces mots, juste pour elle, coiffés d'un titre : *Lagavulin.*

LAGAVULIN

Lagavulin mon amour braisé, je me blottis entre tes seins d'iode, ramène-moi, veux-tu, au sel de tes lèvres, Lagavulin, ma tendresse fumée, tire-moi vers l'abysse, aspire-moi vers la douceur du fond des mers que j'aime infiniment plus que la hauteur des humains où le désert est inscrit. Lagavulin, toi le sais-tu ? Quel est le désert le plus aride, celui des paysages ou celui des gens ?

Lagavulin la petite fleur jaune que je t'avais offerte, non je n'ai besoin de rien merci, j'ai tout si j'ai ton amour et mes rêves en oiseaux de feu au-dessus des lumières de la ville. Lagavulin, l'Empire State ce soir macère dans mon verre fumivore. Non je n'ai besoin de rien merci.

Lagavulin ma lenteur. Je voulais te dire qu'il y a si longtemps que je n'ai bu une telle eau de nostalgie. J'aime la nostalgie, Lagavulin, peux-tu comprendre ? Tu fus, toi mon blé d'or, pendant tous ces mois tu fus la seule plage de moi-même sur laquelle je pus m'étendre. Étrange, mais tu fus ma seule âme de tout cet hiver-là. Et quand il neigeait sur ma poitrine, c'est toi qui te recouvrais d'un fin duvet de baisers blancs.

Baisers blancs et pommes vertes, Lagavulin, tu fus mon âme d'hiver, Lagavulin d'hiver, baisers blancs et pommes rouges.

New York, fin mai de l'année 1956. René avait à peine pris le temps de faire le tour de la galerie et n'avait qu'entraperçu ses tableaux exposés dans un décor inspirant et feutré. Il avait ordonné le décrochage immédiat de l'exposition, sans ajouter un mot.

Puis il avait tourné les talons.

Quelques jours plus tard, Evelyn avait reçu un câble de Karl Lilienfeld. *I take note of the decision of your husband to withdraw his paintings. I look forward to your visit to make the necessary arrangements. With my kindest regards.*

Ce fut là la seule exposition des œuvres de René Marcil, vivant. Elle dura deux jours et demi.

TROISIÈME PARTIE

LA CONSOLATION D'ÊTRE LIBRE

Les Années instables

Cabrières d'Aigues. Février de l'année 1964. Pre-
mières lueurs du jour, la ligne des arbres commence à se
découper dans l'horizon de jais. Une part d'Evelyn se rassure, recouvre son allant diurne. Les petits matins méri-
dionaux, où rien ne lui paraît familier, ont quelque chose
d'un peu redoutable. Nature inconnue, calcaire et
cailloutis, où le romarin et l'amélanchier fleurissent en
hiver tandis que les perdrix rouges hantent les chênaies et
les grands ducs hantent les nuits. Monde incongru,
monde à l'envers. Parfums inédits et tourmentants :
lavande, thym, sauge, partout des feux d'abattis striant le
ciel, offrant le bras aux nuages. Prise dans cet étourdisse-
ment de fragrances, Evelyn se murmure à elle-même que
si elle n'était de chair, elle serait d'odeurs comme celles-là.

Les vapeurs de son café dégoulinent en condensation dans la fenêtre, comme si la distance entre elle et
le monde perlait sur les carreaux. C'est elle qui bout
au-dedans quand il fait encore cru dehors.

Pendant les dernières années, elle avait renoué avec la fragilité, précarité souvent, de la solitude. Quand tout, exactement tout des beautés et laideurs de l'existence, ne peut s'appréhender, s'évaluer qu'à partir de soi et seulement de soi. Quand le dialogue s'instaure des choses à soi sans la mise en relief, le flamboiement, de la parole et du partage avec un aimé.

Patiemment, elle s'était fait à l'idée que se présenter au monde en solo plutôt qu'en duo, c'était plus hasardeux mais aussi plus simple. Cette impudence lui seyait. Elle s'était convaincue que la liberté, la vraie, celle dont personne jamais ne parle dans un monde où ne pas marcher à deux est ressenti comme un handicap physique, une hémiplégie de l'être, que la pure et dure liberté donc était à ce prix. À cet impitoyable travail, au début trempé de larmes, elle avait fini par prendre goût, et presque à son corps défendant. Apprenant à vivre seule, elle s'était inventé un savant équilibre, dans le tourbillon d'une carrière artistique florissante.

Les retrouvailles récentes avec René scellaient la rupture avec cet équilibre conquis de haute lutte. Tout était pour ainsi dire à reprendre à zéro. Se réapproprier à elle-même, mais désormais, et encore une fois, autre, y acquiesçant intégralement.

C'est à tout cela que ce matin de Provence et d'odoriférante étrangeté la ramènent. Les bruits et la fureur de sa vie new-yorkaise continuent en elle leurs mouvements, comme une musique dont l'écho se poursuit quand, depuis un moment, les notes se sont tues.

Le ciel avait pâli, à présent bleu-mauve. Evelyn discerne les pierres du muret qui borde la maison qu'elle habite avec René, et les arbrisseaux qui tapissent le pied du Luberon. Et voilà qu'elle aperçoit, à quelques mètres dans la pénombre qui traîne, une masse énorme et toute blanche. Un grand cheval est là, ruminant fleurs et herbes.

Recroquevillée sur son café fumant, Evelyn vit alors, sur le flanc droit de la bête, du côté des gorges du Verdon, monter un énorme soleil rose comme une pivoine diamantée. Tandis que mirait sur son flanc gauche, du côté des Dentelles de Montmirail, un croissant de lune ivoire. Le cœur d'Evelyn fut coupé en deux par le milieu. Chaque moitié, comme les deux parties d'elle-même, roula dans la pureté du matin. Evelyn les ramassa. Doutant qu'elle pût jamais les recoller.

Maintenant le jour s'installait par pans et par plaques comme en une bouche aux dents d'or. Les narcisses ouvraient le gosier pour accueillir la becquée de la lumière. Sous la férule des chasseurs, des meutes de chiens aboyaient sur la trace de quelque proie. Des oiseaux aux pépiements qu'Evelyn n'avait jamais encore entendus, se chamaillaient ou se contaient fleurette, elle l'ignorait.

Le soleil émergeait à contre-jour sur la peau blonde des prés et celle, immaculément blanche, du cheval. Tandis que derrière, au sud, la montagne Sainte-Victoire, gigantesque paquebot pris dans le brasier du soleil levant, étirait sa coque jusqu'à l'Afrique, c'est ainsi qu'Evelyn imaginait les confins du monde ce matin-là. Cette montagne Sainte-Victoire, qu'elle avait tant de fois admirée dans des catalogues et sur des affiches, et vue une fois de ses yeux vue au Philadelphia Museum of Art avec René, voilà qu'elle en était devenue la voisine proche et ébahie. Un peu incrédule.

Ici le sublime n'était pas dans la démesure de la mer ou l'excès de la haute montagne, pensa Evelyn. Non. Ici le sublime logeait dans l'harmonie des éléments. Horizontalité et verticalité enfin pacifiées. Vignes, collines, rus et ruisseaux, longs cyprès et oliviers nains, dégradé d'ombres allant de la plus opaque à la plus translucide, tous ces états de lieux tendrement disposés sur le paysage comme des baisers sur un ample visage, concentré de douceur tombé sur la terre.

Avec là-bas, devinée, pressentie, la Méditerranée nimbée de mystère, tenants et aboutissants de tout, et de la vie elle-même.

Cœur offert de la splendeur qui traçait son chemin d'apaisement dans le corps et l'esprit de la nouvelle arrivante, que le soleil, maintenant bien en route vers son zénith, éclaboussait.

28

Mai de l'année 1966. Accroupi dans la colline, René peignait à même sa pente lumineuse, ses doigts trempés dans les pigments ocrés, sa barbe elle aussi teintée du colorant minéral. On le voyait, souvent du matin jusqu'au soir, livré à un ballet étrange, son corps penché sur la terre, les épaules rabotant une large feuille blanche disposée devant lui, l'enduisant de couleurs et de glaçures, la glairant avec les muqueuses de calcaire et de grès du sol sur lequel il s'échinait à genoux, la gorgeant du vert-rose des paysages en étages qui descendent jusqu'à la Méditerranée.

Il épandait ses jaune orangé, ses rouges et ses roux sur le microcosme de papier, s'essayant à quitter le champ de la peinture figurative. Il ne voulait plus figurer le monde, il voulait désormais l'évoquer. Peut-être le vent cesserait-il ainsi d'échapper à ses tentatives de le représenter ?

Il resterait assis tout le jour à côté d'un narcisse jaune et, retenant son souffle et sa main de peintre, il *l'adorerait lentement* [4] jusqu'à capter le friselis de sa corolle s'ouvrant et se refermant dans la patiente composition du tableau. Il esquisserait seulement son friselis.

Il essaierait de peindre l'odeur de thym que baille la terre à l'heure mauve. Il esquisserait seulement son odeur.

Avec sa palette, il essaierait de trouver ce ciel fou de *La Nuit étoilée* de Van Gogh devant lequel, voilà des années, il s'était extasié avec Evelyn au Museum of Modern Art à New York. Il le ferait, non pas en plagiant le maître, mais en guettant la chair de la nuit au-dessus du mas qu'ils habitaient. En veillant.

Avec sa palette, il essaierait encore de trouver l'hallucinant arrière-champ de la *Nature morte au chandelier sur fond bleu* du peintre Nicolas de Staël. Bleu si pénétrant, plus nu qu'un visage, peut-être le bleu de la mer où Staël allait s'envoler comme un oiseau quelques semaines plus tard, après s'être jeté du haut de la fenêtre de son atelier : génie défenestré sur les remparts d'Antibes et sur le pas de sa porte. En pleine gloire. Il avait quarante et un ans.

Mais sa fortune à lui, René, l'avait mené, malmené, ailleurs et autrement : à un destin sans envergure, sur les collines de Cabrières d'Aigues d'où il n'arrivait à voir que le bout de son museau enlisé dans une enfance pourrie. Perché sur sa colline pourpre, il n'avait fait que musarder, pensait-il. Pays d'aigues mortes et enterrées, mais que ses travaux s'acharnaient à exhumer.

Il revoyait la scène avec Evelyn l'autre nuit.

Elle répétait des mots en français, quelques mots nouveaux qu'elle s'échinait à prononcer sans accent, rigolant d'elle-même et de ses errements phonétiques. À toute volée, il l'avait giflée. « *I hate you.* » Il le lui avait dit en anglais, lui qui ne s'était toujours adressé à elle qu'en français.

Saint-Henri le rattrapait, comme un bourdonnement à l'oreille qui ne veut pas disparaître et assourdit les bruits du monde, le confirmant dans son univers scellé, huître malodorante dans sa coquille close.

29

Il fait chaud. La mer est bonne à nager comme à boire, Evelyn s'y baigne depuis un long moment déjà. Elle a abandonné ses vêtements sur le rivage des Saintes-Maries, à côté d'une lettre venue de Cabrières et demeurée cachetée. Elle s'est avancée loin.

Dans l'anse où elle s'ébat, la mer fait comme un lac. Elle est seule. Et nue. À laver son âme et sa peau. L'eau scintillante fait pleurer les yeux de ses larmes, elle dont les yeux du visage pleurent déjà, ramenés à une vieille histoire qu'elle avait balayée sous le tapis des ans, cru décomposée dans les strates d'oubli empilées.

C'était il y a une quinzaine d'années, à Paris. Elle accompagnait René au Vert Galant. Il y allait dessiner, comme il le faisait si souvent. Tout à coup, une pluie diluvienne les avait obligés à déguerpir de leur poste quiet. Sous l'ondée, ils avaient couru jusqu'à leur appartement de la rue Séguier, où ils étaient rentrés, transis de froid et trempés jusqu'aux os.

Evelyn avait pris ce soir-là un interminable bain chaud et parfumé. Elle était enceinte de trois mois.

Et puis, tout se confond. Les eaux de son ventre crèvent dans celles de la baignoire. Elle crie. René accourt. Elle le revoit la soulever précautionneusement, les bras rougis de son sang, l'extirpant de la cuve émaillée. Des morceaux de chair flottent dans l'eau. Elle le revoit appeler l'ambulance. Puis, avec un calme précis et venimeux, elle l'entend dire : « Si tu ne l'avais pas rejeté, je t'aurais frappée dans l'abdomen jusqu'à ce que tu le perdes. »

À présent, au milieu de l'anse, elle lave sa vieille peine envasée de silence. Comment avait-elle pu, et pendant toutes ces années, se raconter à elle-même, réussissant à y croire, que c'est René qui avait raison ? Qu'un bébé était bien la dernière chose dont, alors, ils avaient besoin ?

Dans le courant du Levant, elle nage parmi les oursins et les rascasses, s'enfonçant dans les fosses, vallées anciennes immergées, frôlant les prairies d'algues.

Avait-elle tant besoin de dépendre de quelqu'un *pour pouvoir finalement connaître la consolation d'être libre ?* [5] Qu'avait-elle tant à expier ?
Elle glisse sur les méduses, rase les murènes, vertige d'eau dont elle est insatiable.

Surgit tout à coup un banc serré de poissons multi-colores, pluie d'étoiles filantes remontées des abysses, milliers et milliers d'oiseaux fous virevoltant comme d'une seule aile, petits poissons fous, capelans de son enfance, son père un jour les avait emmenées, elle et sa sœur, voir rouler les capelans sur la plage, dessous la pleine lune de mai. Capelans étincelants sous l'astre, embarqués à la pelle dans la boîte du camion tellement il y en a, pas plus longs qu'une main, petits poissons fous de toutes les couleurs, pique, cœur, carreau, trèfle, frétillant dans la pelle, as, roi, dame, valet, soudain, du milieu de la danse folle qui frise ses joues et lui file entre les mollets, apparaît le visage de sa mère, « *Mother... No !* », d'où rien ne bouge, rien, sinon un léger tressaillement du menton, « *Mother... no, no, no !* » Evelyn bat des bras et des jambes aussi fort qu'elle le peut, s'ébroue, se démène, un crabe noir veut lui mordre les yeux, elle résiste.

Quand elle refait surface, à bout d'haleine, elle prend une gigantesque inspiration qui lui fait voir des étoiles.

L'anse des Saintes-Maries est un écran de lumière blanche où darde un rayon mauve.

30

Cabrières d'Aigues, 13 mai 1966.

Evie, mon Evie,

Le vent n'existe-t-il que parce qu'on l'entend ? Le vent, le vent méchant, est-il une idée abstraite comme la blancheur ? Et la montagne Sainte-Victoire, plus belle d'avoir été peinte par Cézanne ?

Et l'amour, Evie, une vue de l'esprit qui glisse entre nos doigts et nous échappe sans cesse ?

Nous travaillons dans l'obscurité,

comme des rats, Evie, comme des rats, nous creusons les canaux inextricables de nos nuits, nous excavons avec nos dents, nous mangeons à tous les rateliers capables de nous faire aimer et jouir, mais nous ne savons ni aimer ni jouir ; nous désherbons, nous dérochons, nous piochons, mais au lieu des patates poussent des pierres, et nous reprenons nos bâtons et nos bêches ; nous pêchons, nous « giguons », mais au lieu de morues dodues nous levons des crapauds de mer, et nous reprenons nos gréments et nos filets ; nous avançons à tâtons, les yeux glacés, dans la tempête et dans le noir, nous accouchons dans la neige, et les forceps nous crèvent le crâne, mais nous avançons, nous continuons d'avancer,

nous faisons ce que nous pouvons,

la toile est mon clavier, Evie, tu connais cette vieille boutade à propos de Beethoven... On raconte qu'il était tellement sourd qu'il en arrivait parfois à croire qu'il était peintre plutôt que musicien. Mes couleurs sont des notes, simples notes dans le continuum de la mélodie humaine. L'inspiration, c'est l'inconsolable du souvenir entre les doigts de la page, de la note, du fusain, du pas de danse, comme entre les doigts de Vladimir Horowitz, mon dieu à moi, Evie, entendu tout à l'heure, sur mon poste, sa sublime Rêverie prise au milieu des Scènes d'enfants de Schumann, l'un de ses bis préférés en récital, celui qui met des sanglots dans l'assistance, oh tellement poignante Rêverie à travers laquelle se poursuit l'infini parcours de l'âme humaine, les spectateurs sont debout, Evie, ils redemandent de la Rêverie, ils ne veulent plus partir, parce que partir leur semblerait éteindre le soleil lui-même et débrancher la terre. Et comme on reconstruit toute l'enfance à partir d'une odeur, on reconstruit l'histoire du monde à partir d'une note de piano ou une tache d'acrylique sur une feuille, nous donnons ce que nous avons,

la mélancolie est notre ouvrage de chaque jour, Evie,
sur les ailes tremblantes de nos boucles qui se bouclent,

notre passion est notre tâche. Le reste relève de la
folie de l'art. [6]

lampe de travail allumée dans la colline, une seule, je
poursuis, Evie, je continue, je ne lâche pas prise, déses-
péré extatique, sous la lampe de travail, dans la colline,
un homme pleure. De beauté. Et de honte. Poussière
d'étoile mais acharnée de présence. Comme un rat, Evie,
comme un rat.

La montagne Sainte-Victoire est-elle plus belle
d'avoir été peinte par Cézanne, dis-moi ? Et l'amour,
Evie, et l'amour ?

Tu t'es sauvée aux Saintes-Maries-de-la-Mer. Tu t'es
sauvée de ma violence et de mon indignité. Essaie quand
même de garder un petit bout de moi dessous ton cha-
peau de chapelière.

René

31

Elle avait déchiqueté la lettre de René en mille confettis envolés au vent des Saintes-Maries. Sans l'avoir lue.

Le ciel avait pris la couleur des coraux. Evelyn chantait en se berçant dans le tremblement des vaguelettes. Elle était dans la mer depuis des heures, la peau crevassée de l'avoir tant baignée, les eaux anciennes de son ventre dissoutes dans celles des Saintes-Maries.

Et les Maries pour témoins lui convenaient bien. C'est devant elles réunies qu'elle jura de quitter René, cette fois pour de bon. Devant elles, Marie Jacobé, sœur de la Vierge, Marie Salomé, mère de Jacques et de Jean, et la petite Marie-de-la-Mer qu'elle aperçut dans un songe d'eau, au-dessus du frémissement de l'onde. La petite Marie-de-la-Mer qu'elle étreignit longuement, gracile silhouette qui pouvait avoir quinze ans peut-être, qu'elle maintint tout du long de sa poitrine.

Le soleil disparu derrière l'église des Saintes-Maries, Evelyn avait recouvré ses vêtements sur la plage.

Il lui sembla alors qu'elle avait trois peaux : celle de l'intérieur, chaude, gavée de soleil, qu'elle était venue rafraîchir en se baignant interminablement dans l'anse ; celle de l'extérieur, gercée, glacée, presque bleue, qui se mourait encore de soleil mais consentait au soir ; et la troisième, gangue de condensation fumante, comme une peau d'air, un halo d'épiderme à travers lequel elle voyait l'horizon bleuir.

La nuit s'annonçait claire.

QUATRIÈME PARTIE

AUTOROUTE

Les Années de séparation

32

Mars de l'année 1973. Dans son abondance même, New York n'est ce matin qu'un vaste manque, ramassis de petites véhémences consenties. Étrange retournement des choses : elle se sent l'abandonnée, la trahie des deux, elle pourtant l'initiatrice de leur séparation. René lui écrit régulièrement de Londres où il vit maintenant. Ses lettres, baumes et dards à la fois, elle les redoute en même temps qu'elle les réclame, avec le sentiment récurrent de marcher seule et flouée. New York est un repaire de petites véhémences consenties qui finissent par faire une grande violence résignée.

C'est un amant taillé à la Spencer Tracey aux manières de gentleman, ou un énergumène attachant qui oublie ses lunettes dans le frigo, ou un taciturne de nature qui lui clame des mots d'amour sans pouvoir le lui faire, perché sur un montant du lit à baldaquin et complètement aviné. Ou bien c'est un grand rouquin tendre qui lui récite des poèmes, ses lèvres ourlées du blanc de son ventre à elle, ou un pêcheur de crabes qui décrète, entre deux ébats, qu'il préfère la mer, moins exigeante et plus fidèle, ou un praticien du cannabis, long corps maigre aux côtes saillantes, qui la sème dans ses fumées bleues. Petites véhémences consenties.

Curieux, quand ils partent au matin, elle a envie de tout laver, tout javelliser, draps et édredons, récurer, frotter, jeter les cendriers avec la cendre, est-ce bien cela la nouvelle liberté des hormones maintenant accessibles dans toutes les bonnes pharmacies de Lower East Side ? Quand ils partent enfin, elle n'a plus, elle n'a plus qu'un désir : s'abolir sous une interminable douche, savonner sa peau, la lotionner, la purger.

Ces matins-là, après tant de moiteurs d'amour et d'alcool, elle a besoin, on dirait, d'ingurgiter des matières solides, un *smoked meat* avec haut comme ça de bœuf fumé, assise sur une banquette de *Johnny Delicatessen*, la *waitress* décrassant les bouteilles de ketchup devant son patron aux cheveux gras comme les frites servies aux clients, elle a besoin de s'inno-center, elle, Evelyn Rowat Marcil, la prospère dessinatrice de mode qui fait la une de *Vogue Magazine* et de *Cosmopolitan*, besoin de se purifier, *dill pickle* et *coleslaw*.

Ces matins-là, la moutarde du *smoked meat* fait comme le bleu de la vieille devinette de son père, le petit bleu qui a le don de chasser tout le gris du ciel de l'Italien, de l'Anglais et du Polonais.

Une nuit, une seule nuit, Evelyn blottit ses lèvres contre celles d'une femme. Elles dégorgèrent ensemble dans la marmite de leurs corps en fermentation. En écoutant Janis et en buvant du Chivas. « Elles ont la peau trop douce et les cuisses trop molles », c'est ainsi qu'elle résuma l'expérience, le lendemain, à Peggie, l'une de ses modèles.

Comment peuvent-elles, d'ailleurs, toutes ces Peggie, Rebecca, Rosie, qui l'entretiennent sans répit de leurs amours trépidantes, de leurs découvertes d'alcôves jusque-là inimaginées, avec hommes, femmes, chiens, chats, tout ce qui bouge, à trois, à quatre, à dix ?

Comment font-elles ? Celles qu'embrasent le plombier qui passe sous la fenêtre ou le livreur de pizzas à qui elles vont répondre nues ? Comment font-elles toutes celles qu'allume l'envie d'un pénis russe ou nègre pour les enfoncer contre un mur de briques, dans une ruelle obscure ?

Un jour, pour leur clore le bec, Evelyn s'inventa un amour immodéré pour Kenneth Langford, riche médecin new-yorkais qui, racontait-elle, savait l'aimer comme un dieu. Ses interlocutrices, pour une fois, en restèrent baba. Et se turent enfin.

Mais en ce matin de mars, le soleil sur New York était sec comme une muqueuse tarie. Comme le désir sans prière. Evelyn, repue de *Smoked meat,* s'en retournait chez elle guetter l'arrivée du courrier. Chez elle où ça puait l'eau de Javel et la crème de jour.

Guetter, encore et toujours, l'atterrissage dans sa boîte aux lettres d'une enveloppe portant le cachet de l'Angleterre.

33

Londres, 3 novembre 1973.

J'ai une chambre chez Mrs Shaw depuis quelques mois. Sur Brecknock Road, dans Islington. Au milieu des dentelles de lin à motifs brodés qui tombent des tables gigognes, dessous le crucifix qu'elle a décoré de quelques fleurs en plastique et d'un gros cœur rouge. Dans le crucifix est couché un ancien cierge baptismal, celui qui présida au baptême de Deirdre, sa fille adorée, il y aura bientôt quarante-huit ans. Après l'avoir décroché du mur où il trône depuis des lustres, Mrs Shaw m'a montré le candélabre de cire jauni encastré dans la croix en bois de hêtre, d'où elle a aussi extirpé une mèche des cheveux de Deirdre, morte d'une méningite à l'âge de quatre ans.

Nous venions de bavarder longuement, elle et moi, comme il nous arrive souvent de le faire devant un thé citron en fin d'après-midi. Sa cuisine ressemble à son tablier à fleurs, odeurs camphrées des travaux de dames, parfums des boîtes de fer-blanc à cookies recyclées en récipients à sucre et à farine. La demeure de Mrs Shaw est un attendrissant mélange de maison de poupée et de pension pour vieillards. Colifichets amassés au long d'une vie, des horloges partout, pour compter, computer, contenir peut-être, le temps qui reste.

Nous bavardons, pas tellement de rien, mais de tout. Tout ce qui a fait sa vie, menue, si menue, sans faire de bruit. Tout ce qui s'essaie à composer la mienne. Elle ne me pose jamais de questions, d'où viens-je ?, où vais-je ?, non, jamais. Délicatement suggère-t-elle parfois à l'ours mal léché que je suis de changer de chemise ou d'aller sous la douche. C'est tout.

J'invite parfois Mrs Shaw à venir voir mes tableaux dans cette chambre pour Hansel et Gretel où je pensionne. Contiguë à la cuisine. Mes derniers tableaux, encore brûlants sous la lumière mate de Islington. Elle s'attarde devant certains, interrogative, sourcils froncés. Parfois, avec ses lèvres comme en clin d'œil, elle fait un simple « Good ! » qui me rassure, dont, à vrai dire, je ne peux plus me passer. Mais quand elle profère un sonore « Very good ! », me croiras-tu, Evie, si je te dis que cette Mrs Shaw à frisons et à dentelles me donne des ailes ?

Tout est simple, on dirait, chez Mrs Shaw. Si modeste, si dérisoire. Et le thé citron de quatre heures, un peu sucré, fond sur mon cœur avec ses petits cakes.

Certains jours, j'aime à prendre le bus qui dévale les rues pentues jusqu'à Victoria Station, les pieds appuyés contre la rampe, au second étage de ces comètes rouges à hublots et à poinçonneur plongeant jusqu'à la Tamise. Là, je suis bien. J'oublie la peinture et mes tableaux, j'oublie l'heure qui glisse vers le soir, j'oublie les instructions médicamenteuses du docteur Petit de la French Clinic qui me traite contre « des épisodes schizophréniques ». Là, j'oublie qui je suis.

Puis, quand vient la nuit, je rentre chez Mrs Shaw. Et les parfums de sa confiture de melon, qui a mijoté une partie de l'après-midi, achève de me consoler de tout, absolument tout.

D'autres jours, je m'en vais déambulant dans les allées du cimetière de High Park, à deux pas de chez Mrs Shaw. Et tu sais où je m'arrête longuement à chaque fois, Evelyn ? Je te le donne en mille… Sur la tombe de Karl Marx. Lui qui a remué la terre et jusqu'au ciel, qui l'a déportée de son axe pendant des décennies, entraînant des millions d'hommes, de femmes et d'enfants avec lui, le voilà dans un petit lopin de cette même terre où ont poussé des gracchias et des pissenlits. Et je me dis que les grands destins auraient parfois eu besoin de la confiture de melon de Mrs Shaw.

Je marche dans Londres, ville un peu dégingandée, un peu débonnaire, plus libre que Paris. Et Dieu sait pourtant, Evie, si nous avons adoré Paris ! Comme si la City se mettait moins en scène, à l'image de toutes les Mrs Shaw de la planète jamais en représentation d'elles-mêmes. Peuple des petites gens qui font pousser les minuscules fleurs dans les jardins et forment les bouches opaques et lumineuses, si totalement humaines, de l'ici-bas, receleuses des cendres et des beautés du monde.

Pourquoi donc ne suis-je bien, ne l'ai-je jamais été, qu'en présence de ceux et celles que l'on appelle les « petites gens » ? Sont-ils mon repos ou bien ma peur, Evie ? Mon repos des fureurs et des courses du monde ? Ou bien ma peur d'affronter l'univers cravaté de ceux qui comptent ?

Ai-je tant voulu fuir le St-Henri de ma jeunesse, son insupportable candeur farcie d'over alls et de sandwiches aux œufs, pour aboutir dans ce quartier ouvrier du nord de Londres ? Ai-je fui tout cela, dis-moi, les images pieuses et les Christs saignants de St-Henri, pour vivre dessous le crucifix de Mrs Shaw cinquante années plus tard ? Troqué la bombe sur le poêle à bois pour le thé citron de Mrs Shaw ?

Je t'abandonne ici, Evie. Voilà que je m'emmêle et que tout redevient compliqué.

Envie de confiture. De la belle confiture de melon de Mrs Shaw.

René

34

Février de l'année 1978. New York toussotte sous une pluie glaciale, sorte de neige qui, on dirait, se refuse à elle-même et préfère se garder dans le flou, dans l'entre-deux, mi-eau, mi-cristal. Accompagnée depuis une heure d'une musique qui sied bien au moment, chant choral et piano-forte, Evelyn se tient elle aussi dans le flou d'existence.

Tom O'Leary au téléphone, qui ne lâche pas, ne lâche jamais, son amant aussi tenace qu'une tache de graisse sur un habit pâle. Evelyn l'éconduit maladroite-ment, même pas coupable, lui pourtant si tendre. Mais sa bonté, ses yeux de biche, ses longs cils langoureux, lui donnent envie à elle de hurler, de proférer des insa-nités, de danser sur les tables. Elle lui dit sèchement de ne plus appeler. Que sa voix douce la rend folle.

Elle est assise sur le canapé. Dehors il pleut des corps flous. Trop de corps, pense Evelyn, et pas assez d'être. Au-dessus du canapé, un dessin de René : c'est elle posant nue, rue Séguier. Le piano-forte attaque un Saint-Saens.

Exaspérée d'elle-même et ne s'endurant plus, elle décide soudain de rappeler Tom. Elle viendra chez lui tout à l'heure.

« You can come any time, Darling. »

35

Elle s'en va chez Tom O'Leary, comme ça, n'emportant rien avec elle sinon cette chose informe, trop inexistante pour être mélancolique, cette chose indifférenciée qui est elle-même. Tout lui manque, mais rien en particulier. Sauf René peut-être, mais elle n'en est pas certaine. Elle roule dans les rues de New York au volant de sa Firebird. « Insipide, insignifiant, indolent », voilà ses trois états du jour, « les mêmes que ceux d'hier et d'avant-hier et des jours précédents », pense-t-elle. « Insupportable, intenable, imbuvable. » Elle scande tout haut ces mots. « Inaliénable, increvable, intuable. » Elle sourit. Voilà si longtemps qu'elle n'a plus souri. « Attention ! ma peau va craquer. » Ses yeux se mettent à briller.

Voyant tout à coup le panneau *Interstate 89 North* sur sa droite, coup de fièvre et d'accélérateur : la voilà engagée sur l'autoroute qui grimpe vers le nord. « Injustifiable, inexcusable, impardonnable. » À présent, elle rit à gorge déployée. « *Bye Bye* Tom ! »

La route infinie lui redonne un centre. Elle lui a toujours fait ça. Comme si le bel ordonnancement des lignes blanches avait le don de remettre de l'ordre dans sa tête. Et l'interminable pavé noir gobé à vive allure, celui de lisser son être, dessinant un trait continu sur ses yeux en même temps que sur son âme, un trait qui la recompose.

Comme si tout alors devenait enfin lisible.

Curieux, mais la route l'enracine, l'attache à la terre, lui rend son cœur. Pas son cœur à ventricules, mais son cœur comme le noyau du vaste fruit dont les continents et les mers sont la pulpe.

Et quand tout ne serait que chimères et vacuité, sans plus goût ni fièvre, elle aurait encore ces pistes hallucinantes, la nuit balayées par les phares, pour s'envoler, ces matins fous de grands chemins au bord des volcans et des geysers pour l'emporter, avec les busards volant dans les roseaux de chaque côté de la voie rapide.

Née au temps des chevaux et des carrioles, elle n'est jamais revenue de cette fascination : se mouvoir dans les paysages à son gré, avancer à volonté sur la planète des humains et le faire sans bouger en quelque sorte. Sauf son pied allant et venant sur l'accélérateur. Immobilité en mouvement : le meilleur des deux mondes, pense-t-elle.

Elle est au volant de sa Firebird comme au volant de sa vie. Bulle où, enclose, elle progresse sur les chemins du globe, étanche à tout et tout embrassant. Espace bien délimité, monté sur quatre roues, pour affronter la complexité d'être. Bathyscaphe au contour si net que l'on peut promener son regard dans l'énigme des choses. Comme l'image reflétée par le rétroviseur de sa Firebird : court miroir pour l'immensurable vie. Cockpit de l'exigu dans l'univers diffracté, d'où la vie peut se saisir d'une seule venue.

Evelyn a toujours eu besoin de la route comme d'une île déserte.

Île ailée des désirs-déserts. Lieu dispensateur de lieux, comme l'offrande du monde présentée sur deux colonnes, à gauche et à droite, à deux cents à l'heure, poussières des longs chemins qui restent sur les paupières. Sentiment d'habiter qui est celui d'être.

Elle dit qu'il y a les amants de l'amour et les amants de la route. Et que les amants de l'amour devraient être jaloux, quelquefois, des amants de la route qui ne cessent d'avancer comme pour faire halte et éviter de se perdre.

Dans la nuit pluvieuse, Evelyn dévore l'*Interstate 89 North*. Quelque chose en elle s'est ressaisi, la fièvre lui revenant avec la route.

À présent elle vole dans les White Mountains. Ses roues sèment derrière elles deux longues gerbes de gouttelettes, constellations de larmes qui s'enfuient.

La frontière canadienne est en vue. Ou presque.

36

Londres, 21 février 1978.

Mrs Shaw a pleuré ce matin. Doucement, sans faire de bruit. En me parlant de Deirdre.

Au début, elle refusait de voir les yeux de sa petite Deirdre, tendres et ronds comme des billes, se désaxer légèrement. Les visiteurs qui venaient sur Brecknock Road voyaient bien ces yeux-là qui louchaient, contorsionnés sous quel maléfice ? , ils ne savaient trop. Mrs Shaw, elle, refusait de voir et entrait dans une colère sourde quand, devant elle, on osait aborder le sujet, même avec le plus grand ménagement. La terrible maladie commençait à tracer son sillon dans le visage de Deirdre. Sous la forme d'un strabisme naissant.

Mrs Shaw a pleuré ce matin. Doucement, comme une pluie de dimanche.

Nous bavardions devant mon tableau le plus récent. Une huile sur masonite que j'ai intitulée Mère et Enfant. *Ni la mère ni l'enfant n'ont d'yeux sur ma toile.*

Mrs Shaw m'a raconté que Deirdre est morte juste là-haut, à l'étage, dans son lit étroit aux draps semés d'animaux de ferme et piqués d'étoiles du ciel qu'elle avait brodées. Au-dessus du lit pendait une poupée de chiffon avec le sérum qui s'écoulait, goutte à goutte, depuis des jours, dans son bras menu. « Elle est partie comme un petit poulet. » Mrs Shaw n'a plus ajouté un mot.

Je n'ai su que lui dire. Je n'ai jamais su comment être avec l'émotion. Celle des autres, c'est pire. La mienne, oh j'ai pu m'en accomoder en la gommant la plupart du temps. Mais celle des autres, non, je n'ai jamais su. Je suis une sorte d'analphabète, Evie. Des sentiments, tu comprends ? Et des couleurs. Quelles couleurs donner aux émotions ? Je n'ai jamais su. J'ai toujours déposé les couleurs sur mes tableaux comme on fuit en avant. Et les couleurs n'ont jamais pu me rattraper, attaché que j'étais à les semer à mesure.

Mais ce matin j'ai trouvé, Evie. La bonne couleur. J'ai pris un pinceau vierge, aux soies lustrées comme des cheveux d'enfant, et, ne le trempant dans nulle huile ni liquide, j'ai peint des yeux pour Mrs Shaw.

La mère et l'enfant ont désormais des yeux dans mon tableau. Des yeux que Mrs Shaw et moi-même sommes seuls à voir.

37

Sa fringante monture de grand chemin l'avait menée dans les parages d'Athelstan. Village autrefois prospère et entièrement anglophone, non loin de Montréal, où s'étaient réfugiés certains pourfendeurs de la Révolution américaine, fidèles à la Couronne britannique. Le docteur William McLean Rowat y accoucha les femmes sur deux générations et régna, pendant toute sa carrière de médecin, comme une sorte de *godfather*, érudit et sage. Son grand-père Rowat. Le père de son père.

Restent à Evelyn quelques souvenirs diffus d'Athelstan, surtout pour s'y être ennuyée à mourir pendant les vacances d'été, entre la cueillette obligatoire des petites fraises des champs autour de la maison grand-paternelle, et les remontrances de sa mère, belle-fille en visite et mère-ogresse en exercice, redoutable laie dont la peau du visage, sous les soleils de juillet, devenait sang-dragon, femme que nul n'osait se mettre à dos, pas même le patriarche William Rowat, et devant qui, à vrai dire, tout le monde tremblait.

Aussi quelques images précises : la beurrerie, première créée au Canada, qui formait le cœur des activités du village, et le Marchand général où elle allait rêver devant l'interminable comptoir de bonbons à un cent. Rêver sans toucher. Saliver sans manger. Chez le docteur Rowat, les bonbons à un cent du Marchand général allaient à l'encontre d'une alimentation saine. D'ailleurs la belle-fille se faisait fort d'inspecter régulièrement les poches des robes à fleurs d'Evelyn, car, de temps à autre, le docteur Rowat lui-même y glissait trois ou quatre cents noirs pour fins de friandises.

Sa mémoire garde intacte aussi cette journée, torride elle se souvient, où elle dessina la maison d'Athelstan, assise au milieu des abeilles et des rosiers sauvages, sous le grand peuplier de Lombardie. En réalité, c'est du vent grisant dans les feuilles du peuplier plus que de son dessin qu'elle conserve la mémoire. Il y a des vents qui parfois vous font. Vous lovent sur leurs flancs, vous couchant à jamais dans la paume du temps, au creux des ombres et des désirs, magma d'horizons encore indistingués et d'éblouissements en devenir. Il y a des vents qui vous font naître. Des remuements qui vous engendrent, coïncidant avec ceux, plus vastes, qui agitent le monde, mais ceux-là, vous ne pouvez pour l'heure que les pressentir.

Evelyn l'entend encore, distinctement, ce vent des feuilles du peuplier d'Athelstan. Ondoiement étrange et

délicieux. Elle se revoit dans la petite chambre de papier
peint adossée au long arbre. Elle se revoit, isolant avec ses
yeux de pénombre les fleurs jaunes du papier peint, puis
les fleurs rouges, puis vertes, puis orangées, les redispo-
sant, les réalignant, les rebrassant, attendant ainsi le som-
meil dans la bruissante rondeur où chaque feuille tourne
tendrement sur elle-même, pivotant sur l'axe de sa tige
plantée dans l'écorce. Comme la girouette indique où va
le vent sur le toit de l'église des *French Catholic* du village,
les feuilles du peuplier de Lombardie montrent à Evelyn
son chemin.

C'est, de toute sa vie, ce qu'elle entendra de plus
doux. La palpitation de ces feuilles-là. Plus douce
encore qu'un jour qui pâlit ou des lèvres qui se joi-
gnent. Mais tout cela, elle l'ignore encore.

Devant le dessin et le visage exalté d'Evelyn, un
visage inédit, devenu inaccessible, sorte de forteresse
inexpugnable, sa mère ne fit aucun commentaire et
feigna de rester impassible. Mais elle accusa un coup.
Son teint sang-dragon se moucheta de petites plaques
blanches. Vitiligo subit. Comme de l'envie sublimée.

Son grand-père, lui, laissa perler une larme sur sa
joue. Evelyn n'avait jamais vu une larme d'adulte.

De quoi donc, sur qui donc peut-être, son grand-
père pleurait-il ? Evelyn ne chercha pas à le savoir.

Elle était, entière, au vent du peuplier.

38

Elles ne s'étaient plus revues depuis presque soixante ans. Sa cousine germaine, Heather Rowat Fairbanks, l'accueille plutôt fraîchement.

Heather vit dans l'une de ces maisons préfabriquées qui germent sur les sols de l'Amérique, généralement en grappes, comme des petits gâteaux usinés, mignonnets cubes de pâte, indéfrisables sous le soleil torride ou sous la pluie battante ou sous le poids de l'âge. Pelouses vertes et lisses comme des *greens* de golf. Pas le moindre fétu d'herbe qui dépasse. Aseptisées de frais, comme on dit rasées. Protégées contre toutes les nuisances, vermine, herbe à poux, pissenlits et mouches noires.

La verte abondance et les maisons confortables, plutôt cossues, des souvenirs d'Evelyn ont fait place à une sorte de misère, train-train des jours enveloppés de petit, petitesses frétillantes comme des vers, petitesses ordinaires des contrées sans devenir. Sorte d'indigence revêtue de mélamine.

L'établissement du Marchand général est toujours là, mais y cantonnent à présent des nuées de motos qui pétaradent dans les vapeurs de *six packs* et de chips BBQ. Ni ville, ni campagne, ni tout à fait Montréal, ni tout à fait banlieue, plus vraiment anglaise mais pas française non plus, Athelstan vit dans une sorte d'état patoisant, ni chair ni poisson, déroulant la trame de ses jours et de ses nuits dans des volutes de hot-dogs et de violence conjugale.

Les Anglais sont partis ou y songent. Ils fuient devant l'avancée des *Francophone people* à qui l'histoire permet de relever la tête depuis quelques années, préférant déguerpir devant leur déclin annoncé, et leur mutation de peuple d'empire à peuple de l'exiguïté.

N'y demeurent plus à présent que les vieux. Et les rockers de paille aux blousons blindés, vissés à leur ersatz de *Harley* hoquetant, qui viennent *order* leur bière en franglais.

La propriété de Heather jure dans le paysage, seule parcelle bien entretenue, dernier carré d'estime de soi on dirait, avec le cimetière où reposent les restes du grand-père Rowat. Un cimetière tondu comme un chien poodle. « On ne fait pas mieux au château de Versailles », s'était esclaffée Evelyn pour elle-même.

Heather Rowat Fairbanks était revenue vivre à Athelstan après la mort de son mari et vingt années

passées à enseigner au Vermont. « J'ai voulu rentrer »,
explique-elle simplement à sa cousine. Elle se
décrispe. Ce qu'elle sut d'Evelyn pendant toutes ces
années se résumait à deux choses : elle était devenue
une artiste et avait marié un Canadien-Français. « Et
tu sais sans doute ce que la famille Rowat pensait des
artistes ! » « Et des Canadiens-Français !… », lance
Evelyn. Elle sourient toutes deux. Heather poursuit.
« Les artistes ? Tous des hurluberlus avinés aux
amours lubriques. » « Et les Canadiens-Français ? »,
renchérit Evelyn. « Tous des garçons d'ascenseur. »
Là, elles rient franchement. Un ange passe, plutôt
étonné.

Les cousines bavardent un peu. En anglais seulement, parce que Heather, malgré des efforts, n'a
jamais pu formuler une phrase complète en français.
Elles parlent de leurs occupations respectives. Heather coule ses jours à entretenir ses plantes et à cuire
des muffins pour ses voisines esseulées, plus âgées
qu'elle. Mais elle se distingue avant tout pour la brid-
geuse invétérée qu'elle est. « Il reste une seule épi-
cerie, mais deux clubs de bridge à Athelstan. » Evelyn
dit qu'elle aussi raffole des fleurs et des plantes même
si elle n'est pas très douée. Elle n'ose pas lui avouer
qu'elle exècre le bridge de tous les pores de sa peau.
« Au bridge, je perds toujours. » Elle a besoin de se
rétrécir devant son interlocutrice.

Une phrase du *Journal à quatre mains* des soeurs
Benoîte et Flora Groult affleure à son esprit, qui va à
peu près comme suit : « *Avec certaines gens, il convient
de se baisser comme pour entrer dans une voiture.* »

Prétextant un rendez-vous le soir même à New York, Evelyn prit bientôt congé de Heather. En guise d'adieu, celle-ci déposa dans la main de sa cousine deux muffins noués avec un ruban doré. « Ils sont à la farine d'avoine. » Ce furent, entre elles, les derniers mots prononcés. Les deux femmes s'embrassèrent, sachant que plus jamais elles ne se reverraient.

39

Evelyn se sauva d'Athelstan, l'accélérateur à fond. Comme on détale devant un ours noir, sans rien regarder autour et fixant droit devant, dans l'anticipation terrifiée de ses crocs prêts à mordre.

Sur la banquette contiguë à la sienne, les muffins de Heather l'empêchaient de vivre. Muffins dérisoires, métaphore, il lui semblait, de toute une vie. Celle de sa cousine et celle d'Athelstan. Muffins pathétiques et offerts de si bon cœur : c'est ce qui, précisément, lui donnait envie de pleurer toutes les larmes de son corps.

Elle fonçait vers New York. Plus vite elle roulerait, plus vite ça brûlerait derrière elle, tout brûler, tout abolir de cet insupportable lieu d'où elle émerge. « On meurt d'abord d'ennui et d'indigence esthétique », se dit-elle. « On crève de ne pas être assez curieux. » Elle se parlait à elle-même au volant de sa Firebird. « Ancien orgueil, où es-tu ? » Il lui parut que la dignité d'antan, le haut port de tête d'Athelstan, s'étaient noyés dans les eaux glauques d'un passé révolu dont d'infimes franges s'obstinaient encore à remonter.

Elle prit de la vitesse, abandonnant derrière elle et consumant à mesure le concentré, entrevu dans sa fulgurance à Athelstan, de tout ce qu'elle s'était si ardemment attaché à fuir aux bras du pianiste noir, Bernard Leshley, puis du peintre de St-Henri, René Marcil. Famille, enfermement, étroitesse d'esprit, puritanisme, conservatisme. « Vive les fous ! », lança-t-elle haut et fort, sanglée dans sa bulle.

Elle eut alors une énorme bouffée d'amour pour René. Comme une montée de lait. « À quoi bon nos guerres, dis-moi ?... » Une transe de nostalgie l'étourdit légèrement. Elle s'agrippa au volant.

À la première halte autoroutière, elle freina brusquement, ouvrit la fenêtre et, coupable jusqu'aux os, lança les muffins dans la poubelle.

Au-dessus de l'*Interstate 89 South*, le ciel s'était à nouveau obscurci.

Evelyn se cambra sur son siège. Elle implora le dieu des autoroutes de la reprendre sur ses ailes fiévreuses.

Kilmacrenan, Captain's Bar, 19 décembre 1979.

La mélancolie est une grâce, Evie. À toi je n'ai cessé de penser depuis mon arrivée ici, dans ce pays d'Irlande où les moutons, tantôt de bleu, tantôt de rouge panachés, paissent libres comme les oiseaux, montant la garde sur des siècles de poêles à tourbe, d'enfants aux pieds nus et de poètes. Où les cornemuses et les violons, poitrines contre poitrines, sont restés figés dans la violence de leur douceur. Où la lenteur est partout, plus limpide qu'un matin. Où les gris ont appris à chasser le bleu du ciel et le mat de la mer avec le sang des guerres, chaque pluie ramenant avec elle l'âcre limon de la rage de vivre.

Pays où les jours opalins descendent sur les bars semés çà et là au détour des routes perdues, en même temps que descendent dans les gosiers jamais étanchés Guinness et whiskeys radieux. C'est de l'un de ces estaminets, astiqué comme un navire amiral, où les pompes à bière-pression font office de gouvernail, que je t'écris ces mots.

Pays de tes ancêtres paternels et maternels, où la mélancolie, me disais-tu, passe dans le lait des mères en même temps que le mystère du ciel et de la mer. Je ne fais que penser à toi, Evie.

Tu m'as souvent raconté que la mélancolie t'avait fabriquée, supplique à la nuit, prière au néant, et que cette ferveur exercée en pure perte t'avait faite chapelière, puis artiste-dessinatrice.

C'est ici, dans ce pays où le sol sous nos pas le dispute à la nudité même, c'est ici que je crois comprendre un peu ce que tu m'as si souvent répété.

La mélancolie, Evie, ou ce que j'en comprends, c'est un ferry qui appareille un dimanche après-midi d'automne quand la lumière est moutarde et que nos mains s'agitent interminablement, la mienne et celles de ma mère et de mon père, tous deux fondant dans l'horizon du fleuve qui, à cette hauteur, a gagné son statut de mer. Et que mes vingt ans restent sur la rive, tandis que leur cinquantaine à eux s'éloigne et que nos générations confondues, liées à jamais par ce fil qui se déroule au fur et à mesure que le bateau s'éloigne, ont le cœur serré.

Et je continue d'agiter la main, Evie. Seul sur le rivage, planté devant l'immensité de l'âge. Et ils continuent d'agiter les leurs. Et maintenant, comme en songe, se sont jointes à la mienne d'autres mains plus petites, plus jeunes. Dont les saluts s'adressent au bateau mais aussi, désormais, à moi.

La mélancolie, Evie, c'est un ferry qui appareille un dimanche après-midi d'automne.

Je te dis simplement mon affection qui est profonde. Demain je vais à Letterkenny entendre la vieille Jeannie Doherty jouer de son violon. J'emporte tes oreilles, tes yeux dans la poche de mon paletot.

René

Letterkenny, Central Hotel, 20 décembre 1979.

Prenez-moi ici, maintenant, je suis prêt. Emportez-moi je vous prie. Que je danse mais ne rompe point. Et que l'on n'en parle plus. Emportez mes morceaux, l'un après l'autre emportez-les. Mais laissez ici mes oreilles, bon Dieu de Saint-Henri. Pour la musique de la vieille Jeannie, quatre-vingt-onze ans, menton emboîté dans la table chevrotante du violon, comme l'Évangéline des Acadiens l'est à jamais dans la ténébreuse nostalgie du monde.

Ses rides, affalées sur l'instrument, coulent jusque sur le plancher du Central Hotel, lumineux éboulis d'une vie.

Emportez tous mes morceaux, bon Dieu de Saint-Henri, mais laissez ici mes oreilles.

Amen.

42

Donegal Town, 21 décembre 1979.

Tu me disais que que tu avais tété la mélancolie au sein. Qu'elle était passée dans le lait de tes aïeules, arrière-grand-mère, puis grand-mère et qu'arrivée à ta mère, trop concentrée, trop intense, la mélancolie s'était déployée sur elle en une bile austère et noire, innervation de dureté et de fausse frivolité, affectation d'armure.

Je n'ai jamais su être à la hauteur de ta mélancolie, Evelyn, quête méticuleuse du sang et de la chair des étoiles. Je ne suis qu'un homme qui vit. Je suis la petite lanterne, vacillante sous les vents boréaux, qui t'aura permis de veiller quelquefois. Mais je reste d'abord un éteignoir, le mien propre avant d'être trop souvent le tien, le nez collé à la terre de peur de rencontrer le ciel.

Lis-moi, Evie. Lis-moi pendant que je suis encore un homme qui vit.

L'amour n'existe que parce que tu me lis vivant. Comme le vent n'est que parce qu'on l'entend, je le sais à présent. Les lettres d'amour sont faites pour les vivants. Pourquoi conserver ce que l'on ne voudra plus lire – parce que devenues sans objet – ou l'on ne pourra plus lire – parce que trop douloureuses d'absence ?

Dépêche-toi de me lire, Evie. Lis-moi sans faillir. Pendant que je suis un homme qui vit. Après, jette-moi.

Je rentre à Londres demain. Passe un bon Noël.

De cette petite ville, chef-lieu du Donegal tout au nord de l'Irlande, sans plus d'attraits que celui d'y avoir vu naître Mrs Shaw, j'ai signé

René

CINQUIÈME PARTIE

LE GYMNASE DE LA RUE BLOOR

Les Années de vieillesse

43

Elle danse doucement, elle danse si peu. Dans un survêtement qui moule son corps fané, elle imprime à ses vieilles articulations des mouvements longs. Pieds nus posés bien à plat sur le sol, Evelyn inspire et expire au milieu du grand gymnase de la rue Bloor, en cette heure de la matinée torontoise, désert.

Un maquillage lourd, presque violent sur une peau transparente de vieillarde, est collé sur son visage comme une défense à opposer à l'univers. Pour rien au monde elle ne sortirait sans un fond de teint appliqué en multiples couches successives, un trait de khôl tartiné tremblotant autour des yeux, et un fard qui lui fait les joues roses comme des bonbons à la menthe. Maquillage plaqué contre ses traits encore remplis de nuit, même si elle est réveillée depuis un bon moment déjà. Avec l'âge, le masque facial met plus de temps, on dirait, à recouvrer ses sillons diurnes.

Evelyn aura quatre-vingt-un ans dans quelques jours. Avec ses cheveux tout blancs et courts, coupés à la garçonne, et son dos rompu, cassé à quatre-vingt-dix degrés, elle fréquente le grand gymnase de la rue Bloor deux fois par semaine. « Pour qu'ils m'endurent plus longtemps », dit-elle au jeune portier du Sutton Place chargé de lui appeler un taxi, lui attendri, elle cherchant un effet et, chaque fois, cueillant la même réponse : « *You are younger than I am, Mrs Marcil !* »

Lentement elle se déhanche, elle ondule, elle ondoie comme prenant son vieux dos à bras-le-corps, tentant de le redresser un tant soit peu, de le libérer de sa prison, de sa prostration difforme. Après quelques secondes de repos, elle allonge les bras devant, puis les écarte dans une longue motion *urbi et orbi*, elle embrasse quelqu'un ou quelque chose ou peut-être la terre.

Pause encore. La voilà à nouveau qui se balance en soufflant comme une génisse qui va mettre bas, elle, l'ancien modèle du peintre, enlacée à sa carcasse flétrie, comme en une danse chinoise dont elle serait le dragon de papier fin.

Dans son justaucorps en contorsion d'où l'on voit les plis et replis de sa chair, elle se berce, prosternée contre terre, vieux reptile sorti d'on ne sait où.

L'ancienne beauté de la rue Séguier est encore belle.

44

Depuis la mort de René, elle vit au 25ᵉ étage du Sutton Place, grand hôtel du centre-ville de Toronto où elle a ses quartiers, ses habitudes et sa cour. Une cour essentiellement composée de garçons d'ascenseurs, portiers, stewards, réceptionnistes et membres du personnel des salles à manger. Auxquels s'ajoutent quelques sangsues, s'imaginant pouvoir exploiter sa fortune qui ne tient plus, pourtant, qu'à un pécule à peine suffisant pour payer le loyer et les frais d'entreposage, d'entretien et de promotion des milliers de toiles qui composent l'œuvre de René Marcil.

Son appartement, d'où l'on voit en bas les voitures débouler dans les rues comme des petits pois dans un plat de service, est une forêt touffue dont les arbres, les branches et les feuilles sont autant de dessins et tableaux de René soigneusement disposés, agencés, en rangs gradués des plus petits formats jusqu'aux plus grands. Sans compter ceux dont les murs sont remplis. Pas le moindre centimètre de sa demeure qui ne soit ainsi occupé.

Chaque nuit elle s'endort sous le *Pont de chemin de fer* que son compagnon peignit à Vence en 1953. Le pont enjambe les forêts humides où elle rêve, tandis que, dessous les montants de son lit, dorment en même temps qu'elle les toiles de la période du sud de la France, « la période mauve de René », se plaît-elle à dire.

Dorment aussi à côté d'elle un ordinateur flambant neuf, son survêtement pour le gymnase de la rue Bloor, et un minuscule coffret en bois de cèdre contenant des lettres vieilles de près d'un siècle. Toutes datées de 1905. Écrites à San Francisco par Joseph, son grand-père maternel. C'est sa sœur qui les lui avait remises à la mort de Noemi, parce qu'elle « n'en avait que faire ».

Ces choses-là excepté, le reste de l'univers pouvait brûler.

Emmitoufflée dans sa tour d'où elle ne sort que pour affaires – entendre les affaires de René –, Evelyn vit en vieille femme inconvenante, toujours prête à s'indigner ou prête à fondre, soupe au lait comme pas une autre.

C'est elle que l'on voit, chaque jour et sous le regard ahuri des clients voisins de sa table, emporter dans un *doggy bag* les restes de son dîner : frites froides ratatinées, reliquats de salade et de tomates, trois ou quatre

bouchées de bœuf ou de poulet, pain, beurre et condi-
ments. Avec le clin d'œil complice de Consuelo : « *This
is my lunch for tomorrow.* » Ou bien c'est elle que l'on
entend copieusement enguirlander le portier, « son »
portier, quand le taxi a le malheur de tarder un peu
pour la conduire au gymnase de la rue Bloor.

C'est elle encore que l'on vit un jour exhorter un
steward à recentrer la gerbe de fleurs qui ornait un
bahut Louis XVI dans le lobby. Elle se remit à vivre
quand le préposé déplaça le bouquet de quelques cen-
timètres. Ouf… ! C'est tout l'hôtel qui recommença à
respirer.

45

Au fond de son sanctuaire d'huiles et de fusains, Evelyn est penchée sur un écran bleu. *ENTER*. Ses yeux de chouette, un peu vitreux, fouillent avidement à la recherche du curseur. *ENTER*. Elle parle toute seule. « Oooh ! *Come on, honey* ! » *ENTER*. Sa vieille poitrine siffle, émettant une série de petits sons étranges qui ressemblent à ceux des nourrissons. *ENTER*. Enfin apparaît sur l'écran le *menu* qu'elle désire. Exultation. « *Thank's God.* » *ENTER*.

Elle passe ses jours à répertorier chacune des toiles de René : titre, lieu de création, date. Avec la minutie d'un archiviste. C'est Consuelo, serveur à la salle à manger mais surtout jeune peintre en mal d'argent, qui lui a prodigué des conseils pour l'achat d'un ordinateur. Elle, Evelyn, quatre-vingt-un ans, femme d'un autre siècle, vissée à un clavier du cyberespace.

Elle ne veut pas mourir avant que le peintre René Marcil ne soit reconnu pour ce qu'il est : « Un très grand », répète-t-elle sans cesse à Consuelo, sur un ton n'admettant aucune répartie, lui déballant à nouveau, pour la énième fois, la vieille lettre du Guggenheim Museum. « *I was struck by the large still life which you very kindly left at the Museum...* » Fidèle à ses habitudes, elle a commandé un café « *Very hot, please !* » qu'elle ingurgitera, invariablement glacé, avec une nuée de cachets vitaminiques : « Un géant de la peinture, Consuelo ! » Le jeune homme, devançant la moindre volonté de la duchesse du 25ᵉ étage, sourira.

Evelyn s'occupe des tableaux : les identifier, les ficher et, éventuellement, les monter et les encadrer. Il lui arrive même de se déplacer pour qui elle croit s'intéresser sérieusement au peintre : critiques, galeristes, conservateurs et collectionneurs.

Elle ne veut pas disparaître de cette terre sans avoir tout tenté pour faire connaître et reconnaître l'œuvre de l'artiste Marcil.

46

René avait passé les deux dernières années de son existence sous le toit d'Evelyn, à Toronto. Égal à lui-même : crayon et papier au bout des doigts. Ses esquisses étaient devenues légères, quelques-unes humoristiques même, comme s'il s'abandonnait, ou, tout bonnement, abandonnait.

Evelyn s'était senti investie de la responsabilité d'assurer la vie de l'héritage artistique de René, sa vie après la mort. Elle avait accepté le flambeau de cette postérité tout naturellement, comme elle avait porté à bout de bras la subsistance matérielle de René depuis cinquante ans. Voir à ses intérêts dans la mort, comme elle y avait vu dans la vie, cela lui semblait aller de soi.

René Marcil mourut le 25 septembre 1993, à l'hôpital Mount Sinaï de Toronto, dans la plus parfaite indifférence de la communauté artistique, de la presse et de l'ensemble de l'humanité pensante.

Un des derniers dessins qu'il composa fut pour Evelyn à son chevet, quatre longues lettres nues sur une grande feuille blanche : E-V-I-E. Avec, au bas, en très petit : l-o-v-e. Jamais il n'avait assemblé pour elle, comme pour qui que ce soit, ces quatre-là, écrites en tout petit.

47

Le jour même de la crémation, Evelyn avait appris que l'hôpital Mount Sinaï consentait à acquérir par donation une grande toile de Marcil, qui trônerait dans le vaste hall d'entrée de la rue Jarvis.

Nicolas, un ami d'Evelyn, était allé livrer la toile et récupérer les choses de René. Il en rapporta pêle-mêle mousse à raser, carnets de dessins, pyjamas, robe de chambre et deux photos : l'une représentant Mrs Shaw devant sa maison de Brecknock Road ; l'autre, jaunie, écornée, Cabrières d'Aigues, 1966, c'est lui-même qu'Evelyn avait croqué en train de peindre à même le sol, accroupi dans l'herbe et le thym, les deux genoux sur sa toile pour l'empêcher de s'envoler au vent.

Sixième partie

Gracia

48

San Francisco, 1ᵉʳ mai 1905

Noemi chérie,

Je suis parti. Tu as sept ans. J'en ai vingt-sept. Gracia, mon amie, en a soixante-sept.

Ton père a quitté la maison. Il s'est sauvé de la vie à laquelle toute l'humanité et toute l'histoire le destinaient.

Ton père a fui, Noemi. Vers la Californie. Avec Gracia. Pour un ailleurs meilleur, plus périlleux peut-être mais plus lucide, sachant qu'à toi les aliments, en tout cas ceux du corps, ceux qui te feront grandir en grâce et en beauté, sont assurés. Ta mère est une bonne mère.

Ne tourne pas cette amertume, cette rage peut-être, que tu nourris à mon endroit, ne tourne pas tout cela contre toi-même, essaie, Noemi.

Je t'écris, sachant que tu ne me liras pas. Pas à brève échéance en tout cas. Parce que tu en seras empêchée, et maintenue dans la plus étanche ignorance de ce qui m'anime. Pourtant mes mots existent bien parce que je les entends graver leur sillon sur le papier. Ils te parviendront par une voie qu'il m'est impossible pour le moment d'imaginer. Mais, sous une forme ou sous une autre, ils te parviendront.

Je voudrais que tu sois libre comme l'aigrette qui traverse le cerceau du soleil. La même liberté. En seras-tu capable, Noemi ? Ou faudra-t-il que ton temps, celui qui t'est imparti, s'épuise dans la quête de cette liberté, pour que le temps de ceux et celles qui suivront en puisse imprégner les parfums complexes sur leurs yeux ?

Tu ne liras probablement jamais ces lignes, toi ma toute petite. Mais l'ouvrage de la liberté, si proche de celui du bonheur, saura peut-être déborder sur tes chemins et te rouler dans leurs cailloux. C'est de la nuit la plus noire, tu sais, que surgissent les astres les plus brillants. C'est du vent aveugle, qui pousse ses graines à tâtons dans l'azur, que croissent les fleurs.

Un jour, Noemi, j'ai vu un chapeau voler au vent, puis atterrir sur la tête de quelqu'une qui suivait sagement son chemin parmi la foule, poursuivant d'un pas régulier le sentier tracé par la multitude. La vie de cette passante, j'en suis certain, en fut changée pour toujours.

On peut inventer sa vie, Noemi. Malgré les boulets que l'on traîne, s'amoncelant dans l'âge je crois, jusqu'à ce que quelqu'un ou quelqu'une, petite flaque d'eau scintillante dans la glaisière des générations, les dévide de leur substance, fasse le grand ménage. Tu devras inventer la tienne, avec ce boulet que je représenterai toujours pour toi, jusqu'à la fin de ta vie et peut-être plus loin encore. Je serai ta croix, Noemi, tu me chercheras partout, tu erreras d'ersatz en substitut à la recherche de la couleur de ton âme, et tu auras peine à aimer à cause d'un père qui a déguerpi quand tu avais sept ans.

Mais on se sauve, Noemi. On peut arriver à se sauver.

Ne va pas croire que c'est Gracia, dont l'amour m'importe plus que moi-même, qui m'a sauvé. L'amour ne sauve pas, non. C'est la force d'aimer qui nous sauve. Qui est en fait celle d'être soi.

J'embrasse tes cheveux de rouquine. Et je te berce avec mon Irlande.

> *Joseph ton père,*
> *qui te chérira toujours,*
> *à qui tu manqueras comme*
> *un ventricule à son coeur...*

49

À *Gracia, San Francisco, 27 juillet 1905*

JE T'AI TROUVÉE

Je t'ai trouvée vieillissante et tendre,
cœur de sanglier mâchouillé par les loups,
mûre comme un melon mûr
et prête à moi

Je t'ai trouvée gorgée de sucs,
Ta pourriture noble a grimpé sur mon cœur,
grappes écrues sur un treillis,
laquées

Je t'ai aimée quand il n'était pas trop tard,
ta peau fine comme si elle allait fendre
et gober mon être entre ses chairs,

soie de cœur attendri par le temps,
moelleuse de chaque fois qu'avant moi
quelqu'un, oiseau, homme, femme ou enfant
s'est couché sur ta hanche, a bu à tes lèvres,
s'est niché dans tes plis

Je t'ai trouvée quelques rides au bord des yeux,
derme tacheté du sang des jours,
délestée du trop,
rescapée du sublime
Je t'ai trouvée défaite de tout,
refaite sans cesse, faite de tes mains nues,
cippe d'opale sur la terre noire,
errance revenue de tout

Je t'ai vue avant que tu me vois,
lune levée d'entre les épinettes
quand le soleil n'était pas encore couché

Je t'ai cueillie avant que tu me cueilles,
rose molle ensauvagée,
je n'avais plus qu'à te prendre,
à me déplier sur ta bouche

Je t'ai pêchée à la morte-eau,
lente plie sous les vagues de sable,
plie faisandée par la mer
et qui a le temps pour elle

Je t'ai aimée déjà faite, faite ailleurs,
faite forte,
pâte affinée entre mes doigts de glaise

Je t'ai trouvée vivant poème
me lisant au soleil les pages éventées du temps,
sous tes lainages et tes yeux à larges rebords
profanant la mélancolie

Je t'ai trouvée avant que les hérons ne passent,
avant que la buse ne frôle nos pieds de brume,
avant que les herbes ne se rompent
et les épilobes ne volent en neige

Je t'ai trouvée par un matin roux
dans le lit des orignaux
qui poussaient dehors leurs couvées,
chants barris des adieux vermeils

Je t'ai trouvée ventre chaud de lionne,
accouchée des déserts de lait pâle,
loquet ouvert
sur la cicatrice longue
d'écartelures anciennes

Je t'ai trouvée vive vaincue
avant que tu me trouves
et comme je ne trouverai plus

Joseph

À Gracia, San Francisco, 27 septembre 1905

Le Bonheur

Le bonheur ne sait plus où poser sa tête folle, sur les épaules saillantes de la Sierra Nevada pas si lointaine, ou le long cou du fleuve San Joaquin, ou la hanche chaude de la baie de San Francisco ouverte sur les songes du Pacifique. Mon cœur court de fleurs de roches en fleurs d'eau douce en fleurs de mer, ne sachant où retomber de ses vieilles fatigues et de ses neuves adorations.

Où le déposer, dis-moi Gracia, entre l'affolante douceur de l'amour, une goutte de whiskye blond et une autre de Liszt comme une blessure fraîche ?

Où déposer les fleurs du bonheur, en quel vase, quels prés, quels taillis d'aulnes qu'elles ne fanent ni ne sèchent, mais qu'elles partent décorer la terre avec le vent ?

Où déposer les eaux du bonheur, trop-plein des sources et des printemps, qu'elles ne s'épuisent ni ne tarissent, mais qu'elles aillent nourrir l'omble et la truite ?

Où déposer les mots du bonheur, en quelle encre et sur quel vélin velu ? Où les déposer, Gracia dis-moi, sinon en quelques fines poitrines d'enfance, naines éminences initiées au mystère de la beauté par d'aïeules cimes ?

C'est sans doute pour cela que les humains refusent de quitter la vie. Pour ces bonheurs-là. Bien d'humus et de bitume des trottoirs. Bien de mouches, de grillons, de klaxons. Bien de cordes à étendre au vent du soir. Et d'estaminets aux haleines chaudes où l'humanité enfumée étanche sa soif d'elle-même.

C'est peut-être aussi pour cela que certains humains, amoureux d'amour et de pérennité, aspirent à mettre au monde des petits, à enfanter un peu de lumière pour perpétuer la chaîne de la ferveur et de l'exultation. Verser l'ambroisie du sublime sur quelque visage frais inentamé, gourmand du poème de vivre.

Becquée puissante : la transmission de la connaissance de l'amour, un petit fil doré dans le tissu du temps. [7]

Jusque-là, je n'arrivais pas à imaginer ce qui pousse les hommes et les femmes à vouloir se reproduire, re-pro-

duire d'eux-mêmes en de petites fioles vagissantes et
bonnes à remplir. De quoi ? Je l'ignorais.

Et pourtant j'ai une progéniture, Gracia, une petite
Noemi dont tant de fois je t'ai montré la mèche de cheveux rouges que je garde près de moi, une petite Noemi
née quand je ne connaissais pas encore la lumière.

C'est à cause du même bonheur sans doute que les
vivants s'ennuient tant de leurs morts. Partage de la
délectation à jamais mis en pièces, communion tailladée
comme des fentes sur les montagnes.

Et que le paradis lui-même s'ennuie des vergetures de
la terre.

C'est l'heure des fauves phosphorescences,
Nous sommes déjà dans l'ombre, Gracia,
Mais le San Joaquin rescapé de lumière

Joseph

SEPTIÈME PARTIE

Le Chapeau

51

Toronto. Fin d'après-midi d'automne. Une vieille femme marche rue Wellesley. Il vente. Elle avance d'un pas décidé, un grand étui à dessins sous le bras, maintenant de la main, avec difficulté, un chapeau à large rebord sur sa tête.

Son dos voûté, recourbant ses épaules, va, parallèle au trottoir. Il semble ployer sous le poids de plusieurs vies.

Les feuilles chues des arbres tourbillonnent dans la rue. Comme aspirées vers le ciel et ne supportant plus la terre. La bourrasque sur la vieillarde ne rencontre d'obstacle que son chapeau.

Derrière un long édifice de verre pilé, le grand étui à dessins disparaît bientôt de la vue en même temps que la vieille femme tourne le coin de la rue Bay, s'engageant dans le soir.

ÉPILOGUE

Février de l'année 2001. Evelyn, êtes-vous morte ou bien vivante ? Je me tiens debout sur le flanc du Luberon, ces montagnes comme des ourses tombées raides mortes dans l'heure mauve. Le soir aubergine descend jusqu'à la Méditerranée, contournant comme des eaux votre montagne Sainte-Victoire tant aimée.

Votre âme plane, si près si près de moi, cyprès, ceux qui ploient sous le mistral venu de la mer et la tramontane venue des montagnes, votre âme volette au-dessus de ce pays de France où vous avez tant voulu revenir. Vous n'y reviendrez pas vive, Evelyn, mais morte dans mes mains qui, demain, vous déposeront en songe au Père-Lachaise où vous rêviez d'être couchée, vous en étiez si près, cyprès, Evelyn.

Votre âme est mauve. Comme le cahier sur lequel courent mes mots à vos trousses, morte ou vive je ne sais.

Le soleil se couche. Au moment où monte la lune. Je me trouve à parfaite équidistance des deux, si je tends les bras, je touche aux deux pôles de votre vie. Et vous dépose, là, en plein milieu.

Votre âme est mauve et elle a une fille, Evelyn. Celle que vous avez presque eue. Tout près d'ici. Votre petite Marie aurait cinquante ans. Vous vouliez une fille pour la mélancolie, m'aviez-vous dit. La mélancolie des femmes, penchées depuis toujours sur les berceaux et les tombeaux. Sur les marguerites déboulées de leurs tabliers et les petites et grandes blessures à panser.

Et votre fille, Evelyn, pourquoi écrirait-elle ?

Pour redonner un peu de cette lumière venue de plus loin qu'elle. Pour rendre à l'heure mauve un tribut.

(Luberon, novembre 2000 –
Gaspésie, octobre 2001)

NOTES

1. *LES CYGNES SAUVAGES À COOLE*

Les arbres, les voici dans leur beauté d'automne,
À travers bois les chemins sont secs,
Sous le crépuscule d'octobre les eaux
Reflètent un ciel tranquille ;
Sur les hautes eaux, passant entre les pierres,
Vont les cygnes, cinquante et neuf.

J'ai contemplé ces créatures brillantes
Et maintenant mon cœur est douloureux.
Tout a changé depuis qu'au crépuscule
Pour la première fois, sur ce rivage,
À entendre le carillon de leurs ailes au-dessus de ma tête
Je marchais d'une marche plus légère.

Mais maintenant ils glissent sur les eaux tranquilles,
Mystérieux et pleins de beauté ;
Parmi quels joncs feront-ils leur nid,
Sur la rive de quel lac, de quel étang,
Raviront-ils d'autres yeux lorsque je m'éveillerai
Et trouverai, un jour, qu'ils se sont envolés ?

Traduit par Jean-Yves Masson,
Les Cygnes sauvages à Coole, Éditions Verdier, 1990.

REMERCIEMENTS

Conseil des arts du Canada
Centre national du livre de France
Jean-Jacques Boin
Yves Bisaillon
Michel Morin
Famille Audigier
Edmée de Villebonne
Sabine Tamisier
Alain Letaille

TABLE

Achevé d'imprimer sur les presses de

BUSSIÈRE

GROUPE CPI

à Saint-Amand-Montrond (Cher)
en novembre 2002

Dépôt légal : décembre 2002.
Numéro d'impression : 26700.

Imprimé en France